W9-BMK-194

Les Éditions du Boréal
4447, rue Saint-Denis
Montréal (Québec) H2J 2L2
www.editionsboreal.qc.ca

Brève histoire de Montréal

DU MÊME AUTEUR

Le Retard du Québec et l'infériorité économique des Canadiens français (avec R. Durocher), Trois-Rivières, Boréal, 1971.

Histoire du Québec contemporain, tome 1 : *De la Confédération à la crise (1867-1929)* (avec R.Durocher et J.-C.Robert), Montréal, Boréal, 1979, 1989.

Maisonneuve ou comment des promoteurs fabriquent une ville (1883-1918), Montréal, Boréal, 1981.

Nouvelle histoire du Québec et du Canada (avec L. Charpentier, C. Laville et R. Durocher), Montréal, CEC, 1985.

Histoire du Québec contemporain, tome 2 : *Le Québec depuis 1930* (avec R. Durocher, J.-C. Robert et F. Ricard), Montréal, Boréal, 1986, 1989.

Histoire de Montréal depuis la Confédération, Montréal, Boréal, 1992, 2000.

Clés pour l'histoire de Montréal. Bibliographie (avec J. Burgess, L. Dechêne et J.-C. Robert), Montréal, Boréal, 1992.

Histoire du Canada, collection « Que sais-je ? », n° 232, Paris, Presses Universitaires de France, 1994, 1997, 2007.

Barcelona-Montréal. Desarollo urbano comparado / Développement urbain comparé (avec Horacio Capel), Barcelone, Publications de la Universitat de Barcelona, 1998.

Vers la construction d'une citoyenneté canadienne (avec J.-M. Lacroix), Paris, Presses Sorbonne nouvelle, 2006.

Vivre en ville. Bruxelles et Montréal (XIXe-XXe siècles) (avec S. Jaumain), Bruxelles, P.I.E. Peter Lang, 2006.

Paul-André Linteau

Brève histoire de Montréal

Nouvelle édition augmentée

Boréal

Les Éditions du Boréal reconnaissent l'aide financière du gouvernement du Canada par l'entremise du Programme d'aide au développement de l'industrie de l'édition (PADIÉ) pour ses activités d'édition et remercient le Conseil des Arts du Canada pour son soutien financier.

Les Éditions du Boréal sont inscrites au Programme d'aide aux entreprises du livre et de l'édition spécialisée de la SODEC et bénéficient du Programme de crédit d'impôt pour l'édition de livres du gouvernement du Québec.

Couverture : Ludwig Vinches, *Vue de Montréal du mont Royal*, 2006.

Dépôt légal : 3e trimestre 2007
Bibliothèque et Archives nationales du Québec

Diffusion au Canada : Dimedia
Diffusion et distribution en Europe : Volumen

Catalogage avant publication de Bibliothèque et Archives Canada

Linteau, Paul-André, 1946-

Brève histoire de Montréal

2e éd.

ISBN 978-2-7646-0521-9

1. Montréal (Québec) – Histoire. I. Titre.

FC2947.4.L553 2007 971.4'28 C2007-941279-3

Introduction

Ce livre se penche sur l'histoire d'une ville au destin exceptionnel ! D'abord petite colonie missionnaire abritant une cinquantaine de personnes, Montréal est devenue l'une des grandes villes du continent, une métropole de trois millions et demi d'habitants, principal foyer culturel du Québec et des francophones d'Amérique.

Tirant de ses origines françaises des traits de civilisation qui sont devenus au fil des siècles plus spécifiquement québécois, elle a aussi intégré une forte influence britannique, puis plus récemment l'apport diversifié d'autres cultures. Elle l'a fait en vivant au rythme du continent nord-américain et en symbiose avec lui.

Raconter ses 365 ans d'histoire dans un nombre de pages restreint relève du défi. Il est toutefois possible de le faire en distinguant bien les étapes de l'évolution de la ville et en dégageant pour chacune d'elles les traits essentiels et les tendances de fond. C'est d'ailleurs parce qu'il n'existait pas d'ouvrage de ce genre que j'ai décidé d'en écrire un. Il me paraissait nécessaire d'offrir une vue d'ensemble de l'histoire de la ville qui donne un sens à son évolution et qui présente une synthèse des travaux des spécialistes. Cette brève introduction à l'histoire de Montréal donnera au lecteur et à la lectrice, je l'espère, l'envie d'en savoir plus.

Cette vision d'ensemble est le résultat de mes nombreuses années d'enseignement et de recherche sur l'histoire de Montréal. Elle s'appuie aussi sur les travaux de centaines d'auteurs qui ont exploré diverses facettes de son passé. Je remercie la regrettée Louise Dechêne, Jean-Claude Robert et François Ricard pour leurs précieux commentaires.

La première édition de ce livre a été publiée en 1992, l'année de la célébration du 350e anniversaire de la fondation de Montréal. La présente édition apporte quelques corrections au texte original, mais elle offre surtout une mise à jour et un développement de la période récente. Le chapitre 12, qui allait de 1960 à 1992, a été remplacé par trois nouveaux chapitres.

chapitre I

Hochelaga

La naissance de la ville de Montréal a lieu en 1642, mais l'histoire de son territoire est évidemment beaucoup plus ancienne. La connaissance de cette partie du passé de Montréal reste toutefois, encore aujourd'hui, très partielle. On sait que l'île a été fréquentée, et même habitée, par des Amérindiens avant l'arrivée des Français, mais les spécialistes sont loin d'être unanimes à propos du sort de ces premières populations.

Un site exceptionnel

Pour comprendre les raisons qui ont poussé des groupes à s'installer, provisoirement ou en permanence, dans l'île de Montréal, il faut en premier lieu s'arrêter aux caractéristiques de son site. Il y a plusieurs millénaires, seul le sommet du mont Royal émergeait des eaux de la mer de Champlain. La montagne a servi de point d'ancrage aux terres qui, après le retrait de cette mer, ont formé l'île de Montréal. Le mont Royal est resté un élément déterminant du paysage montréalais.

Plus déterminante encore pour l'histoire de Montréal est la présence du fleuve. Un peu partout dans le monde, les grands fleuves ont été des berceaux de civilisation et ont favorisé l'émergence de villes importantes, d'autant plus que, longtemps, la navigation a représenté le principal moyen de transport des personnes et des marchandises sur de longues distances. Le Saint-Laurent ne fait pas exception.Pourquoi est-ce Montréal, plutôt que Sorel ou Trois-Rivières, qui est devenue la plus importante agglomération le long du fleuve ? D'une certaine façon, cela s'explique, comme nous le verrons, par toute son histoire. Il y a toutefois des contraintes géographiques dont il faut tenir compte.

En provenance de l'Atlantique, la navigation sur le fleuve rencontre à Montréal un obstacle majeur : les rapides de Lachine. Il faut alors décharger les embarcations et effectuer un long portage jusqu'à Lachine. Le même problème se pose en sens inverse. Ce déchargement obligatoire fera à long terme la fortune de Montréal.

On peut penser qu'à l'époque préhistorique Montréal a fourni un lieu de campement provisoire aux groupes qui circulaient dans la vallée du Saint-Laurent. Ils y trouvaient d'ailleurs facilement de quoi s'alimenter : gibier, poisson et petits fruits.

Les témoignages archéologiques d'une présence humaine préhistorique dans l'île de Montréal sont peu nombreux. On sait que la vallée du Saint-Laurent a commencé à être occupée il y a environ 6 000 ans, mais les artefacts trouvés dans le sous-sol de Montréal ne paraissent guère remonter à plus de quelques siècles avant l'arrivée des Européens.Il est plausible que l'île ait été fréquentée bien avant, mais cela reste à démontrer. On ne sait pas non plus exactement à quel moment des Amérindiens se sont installés en permanence dans l'île de Montréal, mais on sait qu'en 1535, quand l'explorateur français Jacques Cartier l'a parcourue, il y a trouvé une population sédentaire habitant un grand village, Hochelaga.

Les Iroquoiens

Ces Amérindiens font partie du groupe appelé Iroquoiens du Saint-Laurent. Ces derniers appartiennent à la grande famille linguistique des Iroquoiens, tout comme d'autres nations dont les Hurons et les Iroquois, mais ils constituent un peuple distinct. Leurs origines sont mal connues. Les Iroquoiens du Saint-Laurent auraient formé un groupe culturel spécifique vers 1300, et leur émergence serait le résultat de l'évolution de groupes établis antérieurement dans la région.Les spécialistes décèlent des différences au sein de ce peuple, en particulier entre les groupes qui s'implantent dans les environs de Québec et ceux de Montréal.

Les Iroquoiens du Saint-Laurent, à l'instar des Hurons et des Iroquois, sont des sédentaires qui vivent principalement de l'agriculture. Ils cultivent surtout du maïs, mais aussi des haricots, des courges et du tabac. Ils pratiquent la pêche et la chasse pour compléter leur alimentation. Ils entretiennent des relations de commerce avec les chasseurs-cueilleurs algonquiens et échangent avec eux du maïs contre des peaux de fourrure et de la viande.

Les femmes jouent un rôle important dans la société iroquoienne et sont à la tête des familles et des clans.Ce sont elles qui cultivent la terre. Elles fabriquent aussi de la poterie ornée de motifs originaux qui témoignent des traits culturels distincts des Iroquoiens du Saint-Laurent.

Ces Iroquoiens vivent dans des villages entourés d'une palissade de bois, dont les plus importants comptent au-delà de mille habitants. Ils construisent de grandes maisons de forme oblongue dans lesquelles résident un certain nombre de familles appartenant à un même clan. Ces habitations sont faites d'un treillis de bois recouvert d'écorce. Les champs cultivés entourent le village.

Au bout d'une période de dix à vingt ans, quand les champs sont devenus moins fertiles, les Iroquoiens déménagent leur village dans un autre site, généralement situé à proximité du précédent.

Le village d'Hochelaga décrit par Cartier correspond à ce portrait général. Il est entouré d'une haute palissade à laquelle sont accrochées des galeries permettant aux défenseurs de lancer des projectiles contre les assaillants. Une seule porte d'entrée donne accès au village. À l'intérieur, Cartier voit une cinquantaine de maisons, longues de 50 pas et larges de 12 à 15 pas. Chacune est subdivisée en espaces distincts pour chaque famille et est dotée d'un foyer central où sont cuits les aliments. Le visiteur estime la population à 1 000 personnes, mais d'après le nombre et les dimensions des maisons il faudrait probablement, selon l'ethnologue Bruce Trigger, compter environ 1 500 habitants.

Où était situé Hochelaga ? Cette question reste encore aujourd'hui un mystère. D'après Cartier, il se trouvait à proximité de la montagne. Au XIXe siècle, on a découvert les vestiges d'un village iroquoien — le site de Dawson — au sud de la rue Sherbrooke, face à l'Université McGill. Ses dimensions sont beaucoup plus petites que celles du lieu décrit par l'explorateur français ; il s'agirait probablement d'un autre village, peut-être d'un satellite d'Hochelaga.

Tout repose évidemment sur l'interprétation du récit de Cartier. Si, comme le pensent la plupart des spécialistes, Cartier a abordé l'île du côté du fleuve, alors Hochelaga se trouvait probablement quelque part entre l'actuelle rue Sherbrooke et la montagne. Si, comme l'a soutenu Aristide Beaugrand-Champagne, il est arrivé par la rivière des Prairies, alors le village était situé sur l'autre flanc de la montagne. Ainsi, à moins que de nouvelles découvertes archéologiques ne fassent avancer le débat, la question de l'emplacement du village restera sans réponse. Ce qui est certain, c'est qu'il n'y a pas de relation directe entre l'emplacement d'Hochelaga et celui de la ville de Montréal, puisque celle-ci sera érigée au bord du fleuve.

Cartier revient à Montréal en 1541. Le récit de son voyage mentionne deux villages iroquoiens en bordure du fleuve, probablement des campements de pêche temporaires, l'un près du courant Sainte-Marie, l'autre au bord des rapides de Lachine. Cette fois il n'est plus question d'Hochelaga, mais de la ville de Tutonaguy, que Cartier ne visite pas. S'agit-il d'un autre nom pour Hochelega (ou même du véritable nom du village, Hochelaga désignant plutôt l'ensemble de la région) ou d'un établissement qui l'aurait remplacé ? La question n'a jamais reçu de réponse satisfaisante.

On peut retenir de tout cela qu'au XVIe siècle, et peut-être avant, il y a eu dans l'île de Montréal au moins un important établissement sédentaire habité par des Iroquoiens du Saint-Laurent. Or, en 1603, quand Champlain explorera le fleuve, ces Iroquoiens n'occupent plus Montréal ni d'ailleurs le reste de la vallée du Saint-Laurent. Plusieurs hypothèses ont été avancées pour expliquer leur disparition. Une série de mauvaises récoltes causées par un climat trop rigoureux auraient pu provoquer un déplacement des populations. Les maladies introduites par les Français, et contre lesquelles les Amérindiens n'étaient pas immunisés, auraient pu clairsemer leurs rangs. Il est probable aussi qu'ils ont été attaqués soit par des Hurons, soit par des Algonquins, soit par des Iroquois. Désireux de profiter du nouveau commerce des fourrures qui se développe avec les Français à la fin du XVIe siècle, ces rivaux se seraient débarrassés des Iroquoiens du Saint-Laurent qui avaient la mainmise sur le fleuve, principale voie de passage. Il se pourrait aussi qu'une combinaison de ces facteurs ait contribué à la disparition des Iroquoiens du Saint-Laurent. Il est en outre vraisemblable qu'une partie des survivants ont été intégrés à d'autres groupes amérindiens. Au début du XVIIe siècle, il n'y a donc plus à Montréal aucun établissement sédentaire amérindien, bien que l'île reste un lieu de passage pour des groupes en expédition de chasse, de guerre ou de commerce.

Les visiteurs français

L'irruption des Français a manifestement commencé à perturber l'équilibre écologique, économique et politique qui s'était établi dans la vallée du Saint-Laurent. Ils ont pourtant attendu plus d'un siècle avant de s'installer en permanence dans l'île de Montréal. Quelles y ont été leurs interventions avant 1642 ?

Jacques Cartier est le premier Français et le premier Européen à mettre le pied sur les rives de l'île. Il y arrive en octobre 1535 et ne reste qu'une journée à Montréal. Il n'a pas d'interprète avec lui, de sorte qu'il ne peut profiter pleinement des informations que lui fournissent les habitants du lieu. L'une de ses contributions les plus importantes est évidemment le récit qu'il a fait de sa visite du village d'Hochelaga. Il a aussi livré une première description du territoire, même s'il ne s'est pas rendu compte qu'il s'agissait d'une île. Il a en outre contribué de façon durable à la toponymie en donnant le nom de « mont Royal » à la montagne, un nom qui sera par la suite étendu à toute l'île puisque « Montréal » n'est qu'une autre façon de l'écrire (« réal » étant synonyme de « royal »). Il a également fait connaître le nom d'« Hochelaga », qui est resté très présent dans la toponymie montréalaise.

Au cours du second et tout aussi bref voyage qu'il effectue en septembre 1541, Cartier n'ajoute pas grand-chose aux connaissances sur Montréal, sinon qu'il va cette fois jusqu'au pied des rapides de Lachine. En 1543, Roberval se rend à son tour jusqu'à Montréal, mais on ne sait rien de son voyage, sauf qu'il est probablement allé lui aussi jusqu'aux rapides de Lachine. Vers 1585, un neveu de Cartier, Jacques Noël, refait le périple de son oncle et, comme lui, escalade le mont Royal, mais il n'apporte aucune information nouvelle.

Il faut attendre Samuel de Champlain pour voir les Français reprendre contact avec Montréal. En 1603, Champlain parcourt à son tour le Saint-Laurent jusqu'aux rapides de Lachine. Grâce à des guides amérindiens, il obtient des informations précises sur la géographie du territoire en amont de Montréal, en particulier sur le réseau du Saint-Laurent jusqu'au lac Huron, ainsi que sur le rôle de l'Outaouais dans le transport des marchandises vers l'intérieur. Il est donc en mesure d'apprécier beaucoup mieux que ses prédécesseurs la position stratégique qu'occupe Montréal au confluent de ces deux axes commerciaux.

C'est cependant en 1611, trois ans après avoir fondé Québec, que Champlain s'intéresse de plus près au potentiel de l'île. Il y séjourne alors quelques semaines dans le but de se consacrer à la traite des fourrures et en profite pour explorer les environs. Il voit l'intérêt qu'il y aurait à établir un poste de traite à cet endroit et choisit même un emplacement, sur le site appelé aujourd'hui Pointe-à-Callière, précisément là où, 31 ans plus tard, s'installeront Maisonneuve et son groupe. Champlain y défriche un espace, qu'il nomme place Royale, puis fait construire un muret et préparer deux jardins qu'il ensemence. Sur une carte qu'il publie en 1613, il utilise pour la première fois le toponyme « Montréal » pour désigner l'île.

Au cours des années qui suivent, Montréal devient un lieu de rencontre entre les Amérindiens et les commerçants français. Les premiers y viennent par groupes, au cours de l'été, avec leurs canots chargés de fourrures des Pays d'en haut, qu'ils échangent contre des produits européens. Cependant, le projet de Champlain d'y établir un poste permanent ne se réalise pas. Les effectifs français ne sont tout simplement pas suffisants pour maintenir deux habitations distinctes, l'une à Québec et l'autre à Montréal. Il faut donc se contenter d'une présence saisonnière à ce dernier endroit.

Un autre facteur dissuasif est la menace croissante que font peser les Iroquois. Champlain s'est en effet associé aux Algonquins et aux Hurons et accepte de participer à certaines de leurs expéditions guerrières contre les Iroquois. Or ces derniers, et en particulier les Agniers (Mohawks), ont acquis une remarquable puissance guerrière et sont en mesure non seulement de résister à leurs ennemis, mais également de passer à l'offensive. Ils sont eux aussi devenus des intermédiaires dans le commerce des fourrures, non pas avec les Français, mais avec les marchands de la Nouvelle-Hollande (plus tard la colonie de New York). Leur objectif est clair : contrôler le flux des fourrures qui passe par le Saint-Laurent, en éliminant leurs concurrents.

La poignée de Français installés en Nouvelle-France ne fait pas le poids face aux milliers de guerriers que peut mobiliser la Confédération des Cinq-Nations iroquoises. Les Iroquois ont bientôt à leur disposition des armes à feu, que leur fournissent les Hollandais, de sorte que les Français perdent leur avantage technologique initial. Pour l'heure, les Iroquois font surtout des incursions de harcèlement, mais c'est suffisant pour créer un climat d'insécurité et perturber l'acheminement des fourrures par la voie du Saint-Laurent. Quand finalement, en 1634, Champlain sera en mesure d'ouvrir un deuxième poste permanent, c'est à Trois-Rivières qu'il le fera.

Le projet d'établir une habitation à Montréal est donc remis à des jours meilleurs. En 1636, Jean de Lauson, directeur de la Compagnie des Cent-Associés qui contrôle la Nouvelle-France, se fait concéder par l'entreprise, en utilisant un prête-nom, une seigneurie comprenant toute l'île de Montréal. Il n'a manifestement pas l'intention de remplir ses obligations de seigneur en y établissant des colons. Il s'agit plutôt d'un geste spéculatif, car Lauson est bien placé pour connaître le potentiel du site de Montréal.

chapitre 2

Ville-Marie 1642-1665

Champlain rêvait d'installer un poste de traite à Montréal. En 1642, c'est plutôt une colonie missionnaire qui s'y implante. Cela explique le nom de Ville-Marie qui est alors utilisé, bien que celui de Montréal soit plus fréquent. Les débuts sont difficiles, mais les Montréalistes — comme on les appelle — tiennent bon et l'établissement prend peu à peu racine.

Un projet missionnaire

Pour comprendre le contexte de la fondation de Montréal, il faut se replacer dans la France des années 1630. Un mouvement de renouveau religieux, fait d'exaltation mystique et d'un désir d'étendre la foi catholique, touche alors une partie de l'élite française, aussi bien dans la noblesse que dans la bourgeoisie. Il donne naissance à une foule d'œuvres nouvelles : communautés religieuses, organismes de charité, missions.

Une société secrète, la Compagnie du Saint-Sacrement, canalise une partie de l'énergie de ces dévots et rassemble de nombreux personnages influents du royaume. C'est aussi l'époque où les catholiques français découvrent les missions du Canada, grâce en particulier aux *Relations* que publient les jésuites.

C'est dans ce milieu qu'évolue le véritable père du projet de Montréal, Jérôme Le Royer de La Dauversière, percepteur d'impôt à La Flèche. Fervent catholique, fondateur de diverses œuvres religieuses et charitables dans sa ville, il est aussi membre de la Compagnie du Saint-Sacrement. Vers 1635, il a pour la première fois l'idée de fonder un établissement missionnaire à Montréal. Son projet se précise à compter de 1639, alors qu'il rencontre à Paris le prêtre Jean-Jacques Olier, futur fondateur des sulpiciens, qui avait en tête une idée semblable. Tous deux réussissent à intéresser à leur projet des personnes riches et influentes, dont le supérieur de la Compagnie du Saint-Sacrement, Gaston de Renty.

Ils mettent sur pied la *Société de Notre-Dame de Montréal pour la conversion des sauvages de la Nouvelle-France.* Leur objectif est de créer à Montréal une colonie missionnaire dans laquelle des Amérindiens convertis au catholicisme et des Français vivraient côte à côte en pratiquant l'agriculture. Le commerce des fourrures, qui est encore la principale raison d'être du Canada, ne les intéresse pas. Il s'agit bien d'une œuvre essentiellement religieuse. Les dirigeants de la Société parviennent à recueillir des sommes importantes qui devraient permettre de pourvoir à tous les besoins initiaux de leur colonie et de ses habitants.

Ils obtiennent la seigneurie de l'île de Montréal qui avait été précédemment concédée à Jean de Lauson. Il leur faut trouver un chef pour prendre la tête de l'établissement. Ils ont la main heureuse en recrutant Paul de Chomedey de Maisonneuve, un gentilhomme qui a derrière lui une carrière militaire. Ils s'adjoignent aussi Jeanne Mance, qui avait elle-même le projet de fonder un hôpital à Montréal, avec l'appui financier d'une riche bienfaitrice, madame de Bullion ; Mance deviendra l'économe de la nouvelle colonie. Ils recrutent aussi des engagés, principalement des artisans, qui ont un contrat d'une durée de trois à cinq ans.

La Société de Notre-Dame a obtenu de la Compagnie des Cent-Associés, qui possède la Nouvelle-France, une grande autonomie pour son établissement montréalais. Elle nomme elle-même le gouverneur, Maisonneuve, qui dispose de vastes pouvoirs, à la fois militaires et civils, notamment en matière judiciaire. Elle peut importer librement au Canada les produits dont elle a besoin et disposera à cet effet d'un entrepôt à Québec.

La fondation

L'expédition, forte d'une quarantaine de personnes, prend la mer en 1641 à bord de trois bateaux, mais celui de Maisonneuve, retardé par des avaries, n'arrive qu'à la fin de l'été. La saison est trop avancée pour que s'installe la nouvelle colonie cette année-là, de sorte que le groupe hiverne dans la région de Québec, ce qui lui permet de poursuivre ses préparatifs et de s'habituer au climat du Canada en se familiarisant avec les techniques de survie en hiver.

Le gouverneur de Québec, Montmagny, juge risqué l'établissement à Montréal, compte tenu des attaques des Iroquois et de la faiblesse de la population de la Nouvelle-France. Il tente de convaincre Maisonneuve de renoncer à son projet — qu'il qualifie de « folle entreprise » — et de s'établir plutôt dans l'île d'Orléans. Mais Maisonneuve reste ferme : il s'établira à Montréal même si « tous les arbres de cette île se devraient changer en autant d'Iroquois ». L'autonomie accordée à la colonie montréalaise irrite aussi le gouverneur. Ainsi, avant même que la ville ne soit fondée, apparaissent les premiers signes de la rivalité proverbiale qui de tout temps opposera Montréal à Québec.

En mai 1642, accompagnés de quelques Québécois dont le gouverneur Montmagny, Maisonneuve et son groupe s'embarquent en direction de Montréal. Ils y parviennent le 17 mai. Le jésuite Barthélemy Vimont dit alors une messe et prononce son célèbre sermon, dans lequel il compare le nouvel établissement à un grain de moutarde et lui prédit un grand avenir. Montréal est fondée.

Maisonneuve choisit de s'installer à l'endroit qui sera plus tard nommé Pointe-à-Callière, soit l'emplacement même qu'avait repéré Champlain en 1611. La première année est surtout consacrée à la construction des installations initiales : un fort et une habitation. Un groupe supplémentaire de 12 colons, envoyé par la Société de Notre-Dame, arrive à la fin de l'été 1642, de sorte qu'une cinquantaine de personnes, surtout des hommes et quelques femmes, passent un premier hiver à Montréal.

Maisonneuve ne perd cependant pas de vue sa mission première. Il tente de convaincre des Amérindiens de passage de venir s'installer à proximité des Français. Mais ce projet se heurte à la dure réalité de la guerre. Les Iroquois ont en effet entrepris de s'assurer le contrôle des routes des fourrures, tant sur le Saint-Laurent que sur l'Outaouais. Ils mènent une guerre systématique contre les nations concurrentes et réussiront à en anéantir plusieurs, en particulier les Hurons en 1649.

La fondation de Montréal représente pour les Iroquois une menace directe. Ils mettent un an à s'apercevoir de son existence, mais dès lors ils ne cessent d'épier et de harceler les Montréalistes et parviennent à en tuer ou capturer quelques-uns. À partir de ce moment-là, Ville-Marie est continuellement sur la défensive et le rêve d'y attirer des Amérindiens alliés s'évanouit, car on n'est pas en mesure de les protéger efficacement. La survie de la petite colonie semble bien ne tenir qu'à un fil.

L'histoire de Montréal pendant ses premières années relève donc beaucoup de l'épopée militaire. Les habitants arrivent néanmoins à survivre en organisant efficacement leur défense, en rivalisant de ruse et de finesse avec les Iroquois et en tirant parti des périodes d'accalmie qui se présentent. Les gestes de bravoure sont nombreux chez ces colons qui ont la conviction de travailler pour la gloire de Dieu, car l'idéal religieux du début se maintient, même si l'objectif missionnaire est mis en échec. Les fortes personnalités de Maisonneuve et de Jeanne Mance contribuent d'ailleurs à assurer la cohésion du groupe.

L'état de guerre force les Montréalistes à vivre le plus possible sous la protection du fort et limite le développement de l'agriculture. Quelques terres sont concédées à des colons, quelques défrichements sont amorcés, mais c'est encore bien peu. En 1645, on profite d'une trêve avec les Iroquois pour construire l'hôpital, cet Hôtel-Dieu qui était l'un des buts de la venue de Jeanne Mance. Le bâtiment n'est pas érigé à Pointe-à-Callière, lieu trop exposé aux inondations, mais de l'autre côté de la petite rivière, dans le secteur où se fera le développement futur de la ville. C'est aussi de ce côté que certains colons commencent à se faire construire une maison.

Pendant ce temps, la population stagne. Après son effort initial de 1641-1642, la Société de Notre-Dame n'envoie pas beaucoup de nouveaux colons pendant le reste de la décennie, et certaines années, aucun. Il y a aussi très peu de naissances. Les nouveaux arrivés comblent à peine les vides laissés par le départ de quelques-uns et par les décès dus à la guerre ou à d'autres causes. Dix ans après sa fondation, Montréal ne compte toujours qu'une cinquantaine de personnes. Ce résultat est décourageant et, au début des années 1650, l'avenir paraît bien sombre pour la poignée de Montréalistes qui persistent dans leur projet. Il faut trouver une solution.

L'enracinement

En 1651, Maisonneuve retourne en France dans le but de recruter de nouveaux colons. Il estime qu'en cas d'échec il lui faudra mettre fin à l'expérience montréalaise. Jeanne Mance lui propose d'utiliser une partie des fonds destinés à l'Hôtel-Dieu, un apport qui se révélera décisif. Mais en France la situation est difficile. Le projet montréalais ne suscite plus le même enthousiasme qu'en 1641. Les associés de la Société de Notre-Dame parviennent malgré tout à recueillir de peine et de misère les fonds nécessaires à la levée d'une nouvelle recrue. En 1653, Maisonneuve arrive enfin avec du renfort : 95 nouveaux colons. Voilà qui permet de presque tripler d'un seul coup la population de Ville-Marie ! Les années suivantes accueillent quelques immigrants à peine, mais en 1659 le dernier grand effort de la Société amène 91 personnes. La colonie peut respirer un peu plus à l'aise.

L'immigration récente a permis la venue de couples et surtout de jeunes femmes célibataires qui sont vite demandées en mariage. Voilà qui commence à établir un équilibre des sexes, compromis jusque-là par la surreprésentation des hommes. Il s'ensuit évidemment une poussée des naissances qui, pour la première fois, contribuent vraiment à augmenter la population montréalaise. En 1663, celle-ci compte, selon les calculs de Marcel Trudel, 596 personnes. De petit poste missionnaire à l'avenir toujours incertain, Montréal est devenue une colonie permanente qui s'enracine de plus en plus dans le sol de l'île.

La présence de Maisonneuve comme gouverneur tout au long de cette période initiale assure un élément de continuité et de stabilité. Il administre la petite colonie de façon paternaliste et lui donne une indéniable cohésion. Responsable de la justice, il sanctionne les écarts de conduite. Commandant militaire, il sait s'entourer de bons officiers, tel Lambert Closse. L'autre pilier de la colonie est évidemment Jeanne Mance, présente elle aussi depuis les débuts et qui, conjointement avec Maisonneuve, fait le lien avec les associés français et les donateurs.

L'idéal religieux reste une composante fondamentale de Ville-Marie. Au cours des premières années, la petite colonie est desservie par des missionnaires jésuites mais, avec la croissance de la population, le besoin d'un clergé paroissial permanent se fait de plus en plus sentir. En 1657 arrivent les premiers prêtres du Séminaire de Saint-Sulpice de Paris, ce qui permet la constitution d'une paroisse. Dès lors, les sulpiciens joueront, dans l'histoire de Montréal, un rôle qui ira grandissant.

Un autre établissement important est l'Hôtel-Dieu, mis sur pied par Jeanne Mance. L'hôpital, érigé en 1645 et agrandi par la suite, est, avec le fort, le plus important bâtiment de la ville. En 1659 arrivent de La Flèche les premières Hospitalières de Saint-Joseph, qui secondent Jeanne Mance et prendront éventuellement sa relève.

La recrue de 1653 avait amené à Montréal une jeune femme, Marguerite Bourgeoys, qui désirait se consacrer à l'éducation des enfants. Elle ouvre sa première école dans une vieille grange, en 1658. L'année suivante, elle ramène de France quelques compagnes qui formeront avec elle le noyau fondateur de la Congrégation de Notre-Dame.

Montréal dispose donc d'un premier réseau d'établissements adaptés aux besoins de sa population. Les dirigeants de la Société de Notre-Dame leur concèdent des terres bien situées dont les revenus permettront de financer leurs œuvres.

Pendant ce temps, la ville proprement dite prend forme. En plus des vastes terrains réservés aux institutions religieuses, Maisonneuve y concède plusieurs petits emplacements. Un premier alignement de maisons se dessine le long de la rue Saint-Paul. En bordure du fleuve, une longue bande de terre est constituée en commune et les habitants peuvent y faire paître leurs animaux.

L'un des objectifs de la Société de Notre-Dame était cependant de fonder une colonie agricole. Les premières années ne sont guère propices à sa réalisation, mais au cours des années 1650 le territoire rural s'étend grâce à l'accroissement de la population. Dès 1648, un premier moulin seigneurial permet de transformer en farine le blé, qui devient la principale production de l'agriculture locale.

L'île de Montréal étant une seigneurie, Maisonneuve

concède des terres aux colons qui acceptent de défricher. Il leur accorde même, en 1654 et 1655, des primes en argent qu'ils doivent cependant rembourser s'ils quittent Montréal. Ce système permet de retenir au pays ceux dont le contrat d'engagement avec la Société de Notre-Dame est terminé et qui pourraient être tentés de retourner en France. Les terres concédées sont situées à la périphérie immédiate de l'espace réservé pour la ville, mais elles sont de plus petites dimensions que celles de la région de Québec ; ainsi les habitants ne seront pas dispersés et seront mieux protégés en cas d'attaque. Comme ailleurs dans la vallée du Saint-Laurent, les terres sont divisées en longues bandes rectangulaires ayant front sur le fleuve, la rivière Saint-Martin ou la petite rivière Saint-Pierre.

Qu'en est-il du commerce des fourrures, principale activité économique du Canada ? La Société de Notre-Dame n'y participe pas directement, mais les habitants, eux, s'y intéressent. Dès 1645, lors de la création de la Communauté des Habitants, qui détient le monopole, les Montréalistes obtiennent d'être représentés au sein de l'organisme. Leur participation au commerce est cependant limitée car, à cause de la présence iroquoise, les Amérindiens alliés hésitent à porter leurs fourrures à Montréal et préfèrent souvent faire les longs portages par l'intérieur pour atteindre Québec ou Tadoussac. L'élimination ou la dispersion par les Iroquois de nombreuses tribus alliées aux Français compliquent encore les choses. Les périodes de paix temporaire permettent toutefois des arrivages et les habitants peuvent faire commerce avec les Amérindiens. La participation montréalaise à la traite s'amorce vraiment dans les années 1650, et quelques marchands, tels Charles Le Moyne et Jacques Le Ber, connaissent une ascension rapide.

Les raids des Iroquois, qui s'intensifient à partir de la fin des années 1650, mènent à une nouvelle stratégie : envoyer dans les Pays d'en haut des Français qui recueilleront directement les fourrures des tribus de la région des Grands Lacs. L'expédition de Radisson et Des Groseillers, qui, en 1660, reviennent à Montréal avec une importante cargaison de fourrures, ouvre la voie.

C'est dans ce contexte que se situe l'affaire du Long-Sault. Le jeune Adam Dollard des Ormeaux forme le projet de se rendre sur l'Outaouais pour y attaquer les Iroquois revenant de la chasse. Il a peut-être aussi pour but de protéger la voie à Radisson et à Des Groseillers, dont on attend le retour. Parti de Montréal avec 17 compagnons, il se retranche au Long-Sault avec quelques Algonquins et une quarantaine de Hurons. Mais il se heurte bientôt à un important groupe d'Iroquois qui s'étaient rassemblés dans le but de lancer une attaque d'envergure contre la Nouvelle-France. Ceux-ci font venir des renforts nombreux postés à l'embouchure du Richelieu et, après plusieurs jours de combat, les Français et les quelques Amérindiens qui leur sont restés fidèles sont battus et exterminés. Leur intervention permet néanmoins un relâchement de la pression iroquoise cette année-là.

D'abord entièrement dépendante des vivres et du matériel que lui faisait parvenir la Société de Notre-Dame, la colonie montréalaise commence donc à avoir des activités économiques qui lui sont propres. Une structure sociale se met aussi en place. Il y a d'abord le groupe des habitants, c'est-à-dire ceux qui ne sont plus à l'emploi de la Société de Notre-Dame et qui possèdent des biens-fonds à Montréal. Ils ont le privilège de faire la traite avec les Amérindiens et constituent le noyau dur de la société montréalaise. Parmi eux on compte des agriculteurs, des artisans, le petit groupe des marchands qui émergent à la fin de la période, ainsi qu'une poignée de nobles. Une société nouvelle comme celle de Montréal permet l'ascension sociale et économique d'un certain nombre d'entre eux. Viennent ensuite les engagés de la Société de Notre-Dame, les compagnons artisans, les domestiques. Ils forment le groupe le plus nombreux en 1663, puisque l'historien Marcel Trudel estime que les deux tiers des Montréalais travaillent alors au service de l'autre tiers.

En 1663 interviennent en France des changements importants qui affectent le cours de l'histoire de Montréal. La Compagnie des Cent-Associés abandonne la gestion de la Nouvelle-France ; celle-ci relève désormais d'une administration royale plus centralisatrice. La grande autonomie dont jouissait jusque-là l'établissement de Montréal est ainsi réduite. En outre, la Société de Notre-Dame, à bout de souffle et de ressources, se dissout, et la seigneurie de Montréal est cédée au Séminaire de Saint-Sulpice de Paris.

La nouvelle administration française, bien décidée à venir au secours de ses sujets harcelés par les Iroquois, envoie des troupes en 1665. Leurs expéditions en pays agnier, peu efficaces sur le plan militaire, permettront tout de même de ramener la paix, au grand soulagement des Montréalais. Cette année-là aussi, Maisonneuve est, sans explication et plutôt cavalièrement, renvoyé en France par le représentant du roi.

C'est donc la fin d'une époque, celle des commencements. Montréal est maintenant bien implantée, grâce à l'effort substantiel de la Société de Notre-Dame ainsi qu'au courage et à la ténacité de ses habitants, au premier rang desquels viennent Maisonneuve et Mance.

chapitre 3

Au cœur d'un empire

Pendant près d'un siècle, Montréal se trouve au cœur d'un empire à la fois commercial et politique qui couvre une grande partie du continent nord-américain. Elle est à la tête d'un réseau de traite des fourrures dont les besoins stimulent l'expansion territoriale. Celle-ci contribue également à la formation de l'Empire français d'Amérique, pour lequel Montréal représente un point névralgique. Cette dimension importante de l'évolution de Montréal mérite qu'on lui consacre un chapitre et qu'on reporte au chapitre suivant les autres aspects de l'histoire de la ville à l'époque de la Nouvelle-France.

La traite des fourrures et l'expansion territoriale

L'intervention militaire française de 1665-1666 amorce une période de paix relative avec les Iroquois et permet la reprise de la traite sur une grande échelle. Les intermédiaires amérindiens, principalement des Outaouais, apportent à Montréal des cargaisons importantes, et la foire des fourrures qui se tient annuellement pendant l'été est un temps fort de la vie montréalaise. L'importance de la foire tend cependant à décliner au fur et à mesure qu'un nouveau système se développe.

En effet, les Montréalais prennent de plus en plus l'habitude d'organiser eux-mêmes des expéditions de traite chez les fournisseurs, éliminant ainsi la nécessité des intermédiaires amérindiens. Au début, ces coureurs des bois agissent dans l'illégalité mais, à compter de 1681, le gouvernement légalise, tout en le contrôlant, ce nouveau régime. Il met en place un système de permis de traite autorisant chaque détenteur à organiser une expédition dans les Pays d'en haut. Le contrôle est évidemment difficile à exercer dans un territoire aussi vaste, et il subsiste des illégaux.

Les expéditions sont habituellement organisées par des marchands qui s'associent à des voyageurs ; les premiers équipent l'expédition et fournissent les marchandises d'échange, les seconds vont faire la traite dans l'Ouest et ramènent à Montréal des fourrures dont le profit est partagé entre les deux parties. Les voyageurs embauchent des engagés, chargés du transport.

La demande entraîne une surexploitation des animaux à fourrure et un épuisement graduel de la ressource. Les voyageurs doivent donc se rendre de plus en plus loin pour trouver de nouvelles zones encore peu exploitées. Cela stimule l'exploration du continent et l'agrandissement de la zone d'influence dominée par Montréal. Celle-ci s'étend d'abord à la région des Grands Lacs ; cette étape est achevée en 1679, quand Duluth atteint l'extrémité du lac Supérieur. Vient ensuite l'expansion vers le sud : dès 1673, Jolliet et Marquette découvrent le Mississippi ; en 1682, La Salle atteint l'embouchure de ce fleuve ;

en 1699, le Montréalais Pierre Le Moyne d'Iberville fonde la Louisiane. Au siècle suivant, l'expansion se fait plus loin vers l'ouest : entre 1731 et 1743, La Vérendrye et ses fils explorent tout le sud de ce qui est aujourd'hui la Prairie canadienne.

Une expansion aussi loin de la base montréalaise nécessite bientôt l'établissement dans l'Ouest de postes de traite permanents, où des voyageurs hivernent près des Amérindiens. Ces postes sont souvent aussi des forts qui assurent le contrôle politique et militaire de la région au nom du roi de France ; certains sont dotés d'une garnison. Les plus importants sont Détroit, à l'entrée du lac Érié, et Michillimakinac, à la jonction des lacs Huron et Michigan. L'expansion vers l'Ouest est aussi justifiée par la concurrence des marchands anglais qui s'exerce de deux côtés à la fois : au sud, par la colonie de New York, et au nord, par la Compagnie de la baie d'Hudson. Les Anglais offrent certaines fournitures à moindre coût et paient parfois un meilleur prix pour la fourrure. La tentation est donc forte, tant pour les Amérindiens que pour les Français, d'aller de ce côté. La contrebande est, tout comme les permis de traite, difficile à contrôler.

Les marchands montréalais se heurtent en outre à une concurrence de l'intérieur. Il y a certes celle qu'ils pratiquent entre eux, mais surtout celle que leur livrent les administrateurs coloniaux de Québec, qui participent secrètement au commerce, et les officiers commandant les garnisons de l'Ouest, qui font la traite sur leur territoire afin de payer leurs dépenses. Pour survivre, un marchand doit chercher à s'allier à certains de ces concurrents. La croissance du nombre des intervenants contribue aussi à l'expansion territoriale.

Le commerce des fourrures est donc un monde complexe où joueurs et alliances peuvent changer selon le gouverneur qui est en poste à Québec. Dans les années 1690 et 1700, il est aussi entravé par une surproduction de peaux de castor, qui provoque une crise grave. Les administrateurs coloniaux cherchent alors à régler le problème en réduisant l'activité de traite, ce qui amène les commerçants à rechercher d'autres types de fourrure.

Dans ce contexte, les marchands montréalais ne peuvent accumuler de fortunes considérables. Un certain nombre s'enrichissent réellement grâce au commerce, mais leur fortune est soumise aux aléas des guerres, de la concurrence et de la conjoncture du marché. Montréal est néanmoins le centre organisateur du commerce des fourrures et la porte d'entrée vers les vastes territoires de l'Ouest. Les principaux marchands sont installés dans la ville. Les voyageurs et les engagés viennent principalement de la région montréalaise. Les expéditions de traite sont organisées et équipées à Montréal. Malgré sa petite taille, Montréal est donc déjà une métropole dont l'influence se fait sentir à des milliers de kilomètres.

Cette activité n'entraîne toutefois pas une forte croissance de la ville elle-même, car elle n'exige pas une main-d'œuvre très abondante sur place. Ce sont les Amérindiens qui chassent les animaux. Quant aux Français, plus d'un millier, surtout des Montréalais, sont à l'œuvre dans l'Ouest pendant les dernières décennies de la Nouvelle-France, et une grande partie d'entre eux y séjournent de façon prolongée. À Montréal même, une poignée de marchands aidés de quelques commis et domestiques suffisent à gérer le commerce et à manipuler les marchandises. Quelques artisans fabriquent des outils ou des vêtements qui seront échangés aux Amérindiens, mais la plupart des produits sont importés de la France. Les profits de la traite peuvent être investis à Montréal dans la construction de maisons, d'entrepôts et de magasins, ou dépensés en échange de services. Une fois le système bien en place, les effectifs travaillant dans ce secteur à l'intérieur de la ville n'augmentent pas beaucoup.

Le commerce des fourrures est néanmoins l'activité économique principale de Montréal, celle qui lui apporte des revenus. Selon l'historienne Louise Dechêne, il fait vivre directement ou indirectement le tiers de la population active. Il exerce une fascination sur de nombreux Montréalais qui espèrent en tirer profit d'une façon ou d'une autre. L'appel de l'Ouest reste fort, et l'attrait de l'aventure qu'il représente marque de façon distincte la mentalité montréalaise. Un grand nombre de jeunes gens de la région, dont des fils de cultivateurs, deviennent engagés pour quelques saisons avant d'aller s'établir sur une terre et fonder une famille.

L'Empire français d'Amérique

Si l'expansion vers l'Ouest répond d'abord à des impératifs commerciaux, elle en vient aussi à s'inscrire dans une stratégie politique et militaire : la constitution en Amérique d'un espace français qui fera contrepoids à l'expansionnisme de l'Angleterre et de ses colonies. L'exploration de nouveaux territoires est d'ailleurs toujours accompagnée d'une prise de possession officielle au nom du roi de France. Au début du XVIIIe siècle, l'Empire français d'Amérique va de l'Acadie à la Louisiane en couvrant une partie importante du continent ; il encercle les colonies anglaises. Porte d'entrée de l'Ouest, Montréal en est un pivot essentiel.

La réussite de cette stratégie passe par une politique d'alliance avec les nations amérindiennes, nécessaires partenaires commerciaux, qui représentent aussi une force militaire avec laquelle les Français préfèrent composer. À la fin du XVIIe siècle, le point faible de cette politique est encore représenté par les Iroquois, partenaires des Anglais. Or les hostilités reprennent au cours des années 1680, provoquant une expédition militaire française contre les Tsonnontouans en 1687. En 1689, une armée iroquoise attaque le village de Lachine, tuant une partie des habitants et faisant les autres prisonniers. Ce « massacre de Lachine » sème l'émoi à Montréal. Au cours des années suivantes, les raids iroquois sont fréquents dans toute la région.

Le gouverneur Frontenac réplique d'abord en organisant des raids punitifs contre des villages des colonies anglaises, puis en entreprenant, en 1696, une expédition militaire contre des villages iroquois. Celle-ci met fin au conflit, mais Frontenac cherche à établir une paix durable. Ce projet sera poursuivi par son successeur, Callière, qui réussit en 1701 à amener une trentaine de nations amérindiennes qui sont dans la mouvance française et les Cinq-Nations iroquoises à signer entre elles et avec la France la Grande Paix de Montréal. C'est un événement d'une portée considérable qui rassemble à Montréal plus d'un millier de délégués autochtones venus participer aux palabres et à l'imposant rituel entourant les négociations. Le traité de 1701 devient la pierre angulaire de la stratégie d'alliance avec les Amérindiens. Les Iroquois affichent officiellement leur neutralité dans les conflits entre Anglais et Français et ne menaceront plus Montréal. Une page importante de l'histoire de la ville est tournée.

C'est la lutte contre les Anglais et les colonies américaines qui prend dès lors la vedette sur le plan militaire. Entre 1689 et 1763, quatre grandes guerres éclatent en Europe, au cours desquelles la France et l'Angleterre se trouvent dans des camps opposés. Elles ont leurs répercussions en Amérique où les colonies ont aussi des motifs spécifiques pour se battre. Il n'y a pas lieu ici de refaire l'historique de ces conflits, mais il faut souligner que Montréal y est engagée de multiples façons. Elle est la cible, en 1690 et en 1711, de deux expéditions anglo-américaines qui préparent une invasion par la vallée du Richelieu ; dans chaque cas, celles-ci rebroussent chemin sans atteindre la ville.

Les Montréalais participent à l'effort militaire. Plusieurs nobles obtiennent des postes d'officier dans les troupes françaises, tandis que bourgeois et habitants se joignent à la milice canadienne. Les miliciens sont particulièrement mis à contribution pour les raids contre des établissements des colonies anglaises.

Personne n'illustre avec plus d'éclat la participation de Montréal aux actions militaires et à la stratégie expansionniste de la France en Amérique que Pierre Le Moyne d'Iberville, le plus célèbre des fils du marchand Charles Le Moyne. Entre 1686 et 1697, il prend part à plusieurs campagnes contre les établissements anglais de la baie d'Hudson et permet d'y établir une présence française tout en profitant de la traite des fourrures qui s'y fait. En 1690, il participe à l'un des raids organisés par Frontenac contre les colonies anglaises, à Corlaer. En 1696, il commande une expédition française qui fait d'abord campagne en Acadie, puis conquiert une partie des postes anglais de Terre-Neuve, en profitant cette fois du commerce de la morue. Trois ans plus tard, il fonde la Louisiane, où il établit un premier fort français. Il meurt à La Havane en 1706, au cours d'une expédition dirigée contre les Antilles anglaises. D'Iberville illustre bien le lien qui unit les considérations commerciales et stratégiques dans l'expansion française en Amérique du Nord. Il témoigne aussi de l'adaptation des Montréalais à l'environnement américain et de leur vision continentale.

Les gouverneurs de Montréal jouent aussi un rôle important puisque, en plus d'assurer la défense de la ville, ce sont généralement eux qui organisent les expéditions militaires sur le continent. Certains auront une brillante carrière dans la colonie. Ainsi Louis-Hector de Callière, qui occupe ce poste de 1684 à 1698, sera ensuite gouverneur général du Canada de 1698 jusqu'à sa mort en 1703. Philippe de Rigaud de Vaudreuil, qui lui succède à Montréal en 1699, prend également sa relève à titre de gouverneur général de 1703 à 1725 ; il fonde une véritable dynastie puisque son fils Pierre occupera à son tour le plus haut poste de la colonie entre 1755 et 1760, tandis qu'un autre de ses fils, François-Pierre, sera gouverneur de Montréal à compter de 1757. Quant à Claude de Ramezay, il se distingue par la durée de son mandat de gouverneur de Montréal (1704-1724) et se fait construire une des plus somptueuses maisons de la ville.

Les nombreuses guerres qui jalonnent cette période amènent le gouvernement français à renforcer militairement la colonie. Au fil des ans, il fait ériger de nombreux forts, défendus par une garnison, dans la région des Grands Lacs, dans celle du Mississippi, à Louisbourg (île du Cap-Breton), le long du Richelieu et finalement dans la vallée de l'Ohio. À Montréal même, la présence des officiers et des soldats des troupes de la Marine est une réalité quotidienne depuis 1683. Leurs effectifs se gonflent en temps de guerre, et la préparation d'expéditions sur le continent, qui se font à partir de Montréal, ajoute à l'animation. Au début, les troupes sont approvisionnées à partir de la France, mais au XVIIIe siècle les marchands et les agriculteurs du Canada en deviennent les fournisseurs. Ces achats et la solde des militaires permettent une circulation de monnaie dans la ville et stimulent l'économie locale.

Les considérations militaires incitent aussi les autorités à fortifier l'ensemble urbain. Louis-Hector de Callière, alors gouverneur de Montréal, fait ériger entre 1687 et 1689 une palissade de bois dans le but de protéger la ville des incursions iroquoises. Au siècle suivant, la palissade est remplacée par une muraille de pierre, destinée à mettre la ville à l'abri des attaques anglaises, qui est construite sous la direction de l'ingénieur Chaussegros de Léry entre 1717 et 1744.

Mais l'équilibre des forces défavorise à long terme le Canada. L'Angleterre jouit d'une nette supériorité sur les mers et les colonies anglaises sont beaucoup plus peuplées que celles des Français. La guerre de Sept Ans (1756-1763) permet aux troupes anglo-américaines de porter le coup fatal à la Nouvelle-France. Le sort de la colonie est décidé sur le champ de bataille des plaines d'Abraham, en 1759, et Québec tombe aux mains des troupes d'invasion. En été 1760, trois armées britanniques marchent sur Montréal. Le gouverneur Vaudreuil, qui s'y est replié, voit bien que toute résistance est inutile et capitule le 8 septembre 1760. C'est la fin de l'Empire français d'Amérique. La conquête britannique a pour Montréal des conséquences importantes, sur lesquelles nous reviendrons au chapitre 5.

chapitre 4

Une petite ville française 1665-1760

Après cette incursion dans l'aventure de la fourrure et de l'expansion française en Amérique, revenons maintenant en arrière pour retrouver la ville elle-même. La réorganisation politique et administrative de 1663-1665 amorce une nouvelle phase de son histoire. Le poste éloigné qu'était Montréal prend rapidement des allures urbaines. Ses formes et ses institutions ressemblent à celles d'une petite ville de la province française. Le nom « Ville-Marie » tombe rapidement en désuétude : malgré une forte présence religieuse, l'idéal missionnaire du début a bel et bien cédé la place aux intérêts commerciaux. Comment évolue Montréal à la fin du XVIIe et au XVIIIe siècle ? Quelles sont les caractéristiques de sa population ?

Le développement de la ville

Montréal comptait environ 600 habitants en 1663 et le double à la fin du siècle. Elle atteint le cap de 3 000 vers 1731 et celui de

4 000 habitants en 1754. Sa croissance est un peu plus rapide pendant la période de paix qui suit le traité d'Utrecht (1713), mais dans l'ensemble elle est moindre que celle du reste du Canada.

En effet, au cours de la période qui va de 1663 à 1760, c'est dans les campagnes de la vallée du Saint-Laurent que se manifeste la plus forte expansion. La paix avec les Iroquois permet le développement de l'agriculture autour de Montréal. Longtemps concentrée tout près de la ville, elle s'étend graduellement à l'ensemble de l'île et déborde vers l'île Jésus, la rive nord et la rive sud.

Dans l'île de Montréal, comme ailleurs dans la colonie, l'établissement rural se fait selon le système des côtes (ailleurs celles-ci prendront avec le temps le nom de « rangs »). Une côte est un regroupement de terres et d'habitations, alignées l'une à côté de l'autre, d'abord le long du fleuve, puis à l'intérieur de l'île le long d'un chemin portant le même nom que la côte. La route qui y mène s'appelle une montée, même si elle est en terrain plat, comme à Saint-Laurent. La côte devient ainsi l'unité sociale de base dans la campagne montréalaise, qui en compte une trentaine en 1731. Même si l'Église crée des paroisses rurales, elles sont moins nombreuses que les côtes.

En plus d'être le centre organisateur du commerce des fourrures, Montréal devient donc le chef-lieu d'un territoire agricole. Cela donne naissance à une activité d'échanges qui, très modeste au début, gagne en importance au cours du XVIIIe siècle. Les surplus agricoles alimentent la ville et commencent à être expédiés sur les marchés de Québec et de Louisbourg. Les marchands montréalais participent à ce commerce et vendent aux cultivateurs les produits importés que ceux-ci ne peuvent fabriquer eux-mêmes. Cela devient une activité lucrative qui ne permet cependant pas de brasser de grandes affaires, puisque la campagne est encore peu peuplée. Pensons qu'au moment de la Conquête le Canada dans son entier ne compte pas plus de 60 000 habitants d'origine française. C'est trop peu pour que s'y organise une économie diversifiée.

La production artisanale qui se développe à Montréal se limite surtout aux besoins locaux : construction, boulangerie, couture, tannerie, cordonnerie, fabrication de meubles, boutiques de forgerons, d'armuriers ou de tonneliers. Elle est cependant stimulée par la demande exceptionnelle qui survient en temps de guerre.

Tout cela explique que, sous le régime français, Montréal reste une petite ville. C'est néanmoins une vraie ville, avec une organisation spatiale différente de celle de la campagne. Dès 1672, le sulpicien Dollier de Casson cherche à y mettre un peu d'ordre en faisant borner les rues. Il y a deux voies principales en direction est-ouest, Saint-Paul et Notre-Dame, et plusieurs rues transversales. La plupart de celles-ci n'existent encore que sur papier, mais elles seront graduellement ouvertes au cours des décennies suivantes de sorte que, encore aujourd'hui, le plan du Vieux-Montréal ressemble à celui de 1672. La ville proprement dite occupe un espace bien délimité, entouré de fortifications à partir de 1687. C'est vers 1730 qu'apparaissent les premiers faubourgs, à l'extérieur des murs, le long des principales voies de communication.

Longtemps, les maisons et les principaux édifices de la ville sont en bois, ce qui alimente les incendies, fléau des villes préindustrielles. Montréal n'est pas épargnée : des incendies importants, détruisant plusieurs dizaines de maisons chaque fois, éclatent en 1721 et en 1734, puis après la Conquête, en 1765 et en 1768. Les intendants édictent des règlements obligeant à construire en pierre à l'intérieur de l'enceinte de la ville, mais à la fin du régime français il y reste encore beaucoup de bâtiments en bois. C'est aussi le souci d'éviter la propagation des incendies qui explique l'érection de ces murs coupe-feu qui dépassent le toit des maisons, ainsi que le remplacement des bardeaux de cèdre par la tôle pour la couverture des toits.

Les résidences les plus modestes n'ont qu'un étage surmonté d'un grenier, mais les nouvelles maisons de pierre érigées au cours du XVIIIe siècle ont généralement un étage de plus. Elles sont couvertes d'un toit en pignon, parfois percé de lucarnes. Au sous-sol des bâtiments les plus importants, notamment ceux des marchands, se trouvent des « voûtes » qui servent à l'entreposage des marchandises. C'est le cas, par exemple, de l'ancienne résidence du gouverneur Claude de Ramezay, reconstruite en 1756 par la Compagnie des Indes occidentales qui l'utilise comme magasin et entrepôt. Dans les faubourgs, on construit surtout en bois. Cette distinction des matériaux indique aussi une division sociale, car seuls les plus fortunés peuvent se payer une maison en pierre. Graduellement, les Montréalais de condition modeste vont s'établir dans les faubourgs, tandis que la ville devient de plus en plus l'apanage des élites.

La ville abrite aussi l'Hôtel-Dieu, le Séminaire et les couvents des autres congrégations religieuses, tous dotés de

Page ci-contre : Montréal en 1685. On distingue bien le premier tracé des rues et la concentration des maisons rue Saint-Paul. À noter aussi : l'église paroissiale, la place du marché et la commune, ainsi que le fort de Pointe-à-Callière. (Archives de la Ville de Montréal, BM5-C26inv45)

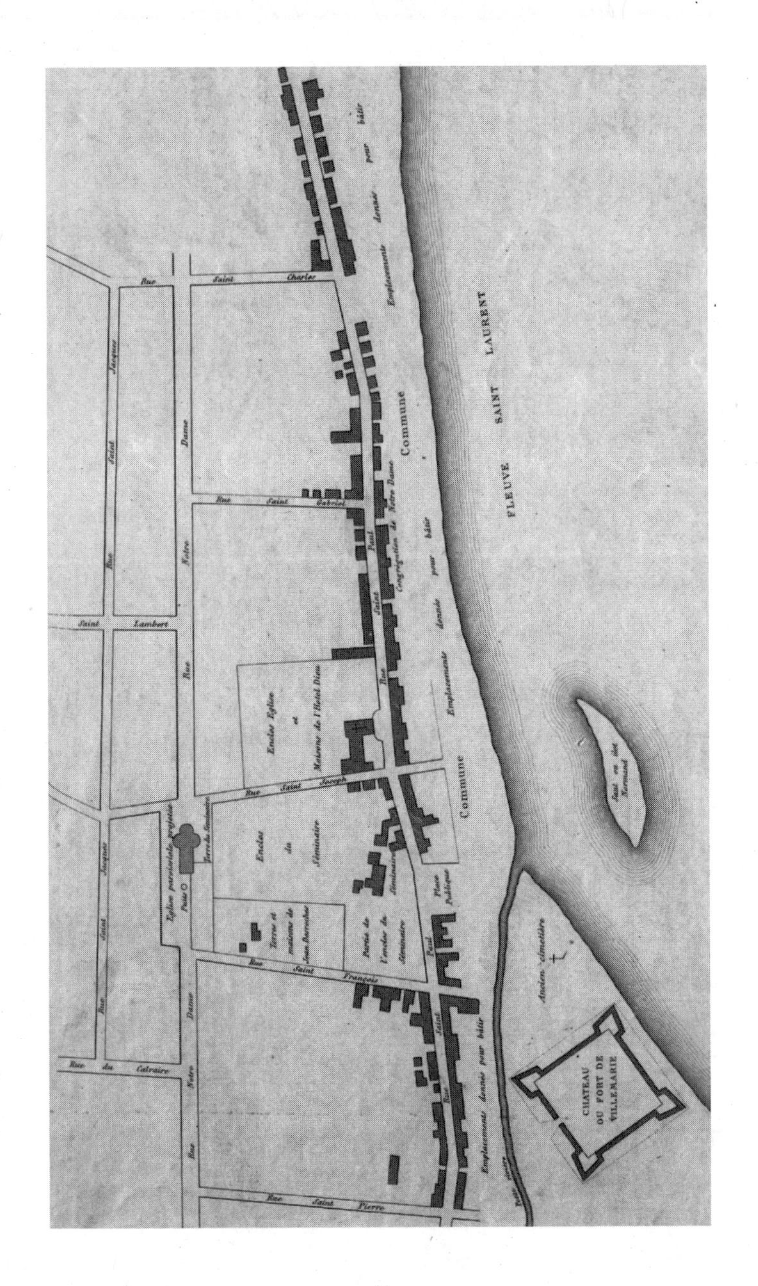
FLEUVE SAINT LAURENT
Commune
Commune
CHATEAU OU FORT DE VILLEMARIE
Ancien cimetière
Rue Saint Paul
Rue Notre Dame
Rue Saint Jacques
Rue Saint Pierre
Rue Saint François
Rue Saint Joseph
Rue Saint Gabriel
Rue Saint Charles
Saint Lambert
Rue du Calvaire
Emplacements donnés pour bâtir
Congrégation de Notre Dame
Enclos Eglise et Maisons de l'Hotel Dieu
Enclos du Séminaire
Place Publique
Eglise paroissiale projetée
Puits

jardins. Dans la partie la plus élevée, en plein centre de la rue Notre-Dame, se trouve l'église paroissiale, érigée à partir de 1672 : son clocher domine le paysage montréalais. À l'instar des petites villes françaises, Montréal a ses places publiques. La place du Marché, située à proximité du port, constitue le lieu le plus animé de l'espace urbain. C'est là que viennent les agriculteurs qui approvisionnent les citadins, c'est là que le peuple assiste aux châtiments des condamnés. On peut aujourd'hui observer au musée de Pointe-à-Callière les vestiges des maisons qui la bordaient. Une seconde place est aménagée à côté de l'église et sera entourée de résidences : c'est la place d'Armes.

Dans cette petite ville française, l'espace ne manque pas, de sorte que la densité y est beaucoup moins élevée que dans les centres européens de taille comparable. On ne vit pas entassé à Montréal, et les faubourgs fournissent un exutoire à l'expansion.

Une société distincte

Une société bien organisée habite Montréal. Elle se distingue de multiples façons de celle de Québec, un trait qui était déjà visible lors de la fondation. Certes, Montréal perd après 1663 une partie de l'autonomie qui avait caractérisé ses vingt premières années d'existence. Le gouverneur de Montréal est désormais étroitement soumis à l'autorité du gouverneur général de la Nouvelle-France et son rôle n'est plus que militaire. L'organisation civile devient la responsabilité de l'intendant, basé à Québec, qui a un subdélégué à Montréal. La justice royale prend dans plusieurs domaines la relève de la justice seigneuriale. Cette perte d'autonomie ne va pas sans susciter des récriminations chez les Montréalais qui résistent parfois aux ordres venus de loin.

Les institutions religieuses perdent aussi une partie de leur autonomie antérieure. La nomination en 1658 d'un premier évêque, Mgr de Laval, installé à Québec, leur impose un contrôle extérieur et représente une source de tensions. Elles restent néanmoins distinctes des congrégations de Québec.

La plus importante est le Séminaire de Saint-Sulpice, qui est à la fois seigneur de l'île et responsable du ministère paroissial. Il influence de façon significative le développement de la ville. Ses responsabilités et ses revenus seigneuriaux en font un intervenant économique de première force. Il est responsable des petites écoles de garçons et aide de multiples façons les autres œuvres religieuses et charitables de la ville.

Les Hospitalières de Saint-Joseph, originaires de La Flèche, prennent la succession de Jeanne Mance à la direction de l'Hôtel-Dieu. L'enseignement primaire, dans la ville et dans la campagne environnante, est assuré par la Congrégation de Notre-Dame, fondée par Marguerite Bourgeoys, qui devient la communauté religieuse la plus nombreuse de la Nouvelle-France.

François Charon de La Barre fonde les Frères hospitaliers de la Croix et de Saint-Joseph et fait ériger, de 1692 à 1694, l'Hôpital général qui, malgré son nom, ne prodigue pas de soins médicaux mais s'occupe de services sociaux, hébergeant les démunis, les vieillards et les malades mentaux. Cette communauté assure aussi, un temps, l'enseignement aux garçons. Elle disparaît en 1747. Elle est remplacée à l'Hôpital général par les Sœurs de la Charité, appelées Sœurs Grises, une communauté mise sur pied en 1737 par Marie-Marguerite Dufrost de Lajemmerais, veuve d'Youville, dans le but de s'occuper des démunis.

Toutes ces communautés sont typiquement montréalaises et leurs membres viennent surtout du Canada. Seul fait exception le Séminaire — ce n'est pas un véritable ordre religieux mais une association de prêtres séculiers — qui recrute uniquement en France et qui conserve des liens étroits avec sa maison mère de Paris. Les évêques de la Nouvelle-France chercheront à quelques reprises à fusionner les congrégations montréalaises avec leurs homologues de Québec, mais la résistance sera trop forte et Montréal conservera son caractère distinct.

À la fin du XVIIe siècle, deux grands ordres religieux s'ajouteront à ce groupe. Les jésuites reviennent à Montréal après quelques décennies d'absence et s'installent dans l'est de la ville, tandis que les récollets construisent leur couvent à l'extrémité ouest.

L'encadrement religieux assuré par autant de communautés est donc important. L'Église tient une place de premier plan dans la société montréalaise. Ses institutions exercent aussi un rôle économique substantiel avec la construction de leurs nombreux édifices, l'exploitation de leurs fermes à la campagne et l'investissement de leurs revenus. Leur impact sur le marché local de l'emploi est loin d'être négligeable et leur emprise sur l'espace urbain est marquante.

La noblesse militaire continue à être présente dans la ville et ses membres s'illustrent en obtenant des commissions d'officiers dans les troupes de la Marine. S'ajoutent à cette élite quelques officiers de l'administration et de la justice. De leur côté, les marchands occupent toujours une position privilégiée et monopolisent les postes de marguillier de la paroisse. Étant les seuls parmi la population civile à accumuler un capital significatif, ils sont propriétaires dans la ville, disposent d'un mobilier plus important que le Montréalais moyen, ont à leur service des domestiques et possèdent des esclaves — le plus souvent des Amérindiens Panis, originaires de l'Ouest, et parfois des Noirs.

Les artisans et les cabaretiers peuvent accumuler un peu de capital et emploient des apprentis ou des domestiques. Ils mènent cependant une existence assez modeste, compte tenu de la faiblesse de l'activité économique de la colonie. Les habitants — ce terme désigne de plus en plus les seuls cultivateurs — ont quitté la ville pour s'installer sur leurs terres à la campagne, où leurs conditions de vie sont plutôt frugales.

La ville compte un bon nombre de journaliers qui survivent tant bien que mal en s'employant à des travaux de construction ou de transport. Elle abrite aussi en permanence des soldats qui passent beaucoup de temps à boire et à jouer dans les cabarets et entretiennent un certain nombre de prostituées. Ces soldats constituent la principale source de désordre et fournissent le plus gros contingent de criminels.

Il existe donc à Montréal une hiérarchie sociale fondée sur la naissance, le métier et les ressources matérielles. Le commerce des fourrures continue à offrir des possibilités d'enrichissement et même parfois d'ascension sociale. L'appel de l'Ouest et les expéditions militaires créent cependant une mobilité géographique qui donne à la société montréalaise une allure particulière : une partie des hommes sont constamment ailleurs, et l'esprit d'aventure, la recherche de la gloire ou celle de la fortune contribuent à façonner une mentalité distincte, typique d'une ville de la frontière.

Dès l'époque de la Nouvelle-France, de nombreux observateurs ont souligné ces traits de mentalité qui distinguent

Montréal de Québec et qui sont sans doute accentués par la rivalité constante qui oppose les deux villes, leurs élites et leurs citoyens. Ainsi Montréal, bien qu'elle soit, par ses institutions et son aménagement urbain, une petite ville typiquement française, devient-elle, par son insertion continentale et la mentalité de ses résidants, une ville de plus en plus nord-américaine.

chapitre 5

Une ville conquise 1760-1800

La Conquête de 1760 a, pour la population d'origine française habitant le Canada, des conséquences considérables dont les effets sont encore manifestes aujourd'hui. Elle fait passer le contrôle du pays en des mains anglaises et amorce une nouvelle colonisation qui mènera, à long terme, à la mise en minorité des Canadiens français. Les premières années du régime britannique provoquent déjà des bouleversements importants dans la société montréalaise, bien que, sur certains plans, les éléments de continuité avec le régime français soient significatifs.

L'expansion du commerce des fourrures

Montréal conserve en particulier son rôle de centre organisateur du commerce des fourrures. Comment évolue cette activité jusqu'à sa disparition de la ville, en 1821 ?

La guerre de la Conquête a gravement perturbé ce commerce. Après 1760 celui-ci peut reprendre son cours, mais dans un contexte modifié, comme l'a bien montré l'historien José Igartua. Les marchands canadiens, coupés de leurs liens traditionnels avec leurs fournisseurs français, arrivent à s'approvisionner auprès des Britanniques. Ils doivent cependant faire face à une concurrence accrue. En effet, les nouveaux dirigeants décrètent la liberté du commerce, ce qui rend désuet l'ancien système des permis de traite. Plusieurs nouveaux venus, surtout britanniques et américains, se lancent à la quête des fourrures, parfois en s'associant avec des voyageurs canadiens. Ils perturbent les courants d'échange traditionnels. Les marchands canadiens perdent ainsi du terrain. Ils sont en outre désavantagés parce qu'ils n'ont accès ni aux contrats de transport vers les garnisons de l'Ouest ni au patronage de ces dernières, qui sont réservés aux Britanniques. En outre, les marchands britanniques réussissent plus facilement à réunir un capital assez considérable pour financer de plus grosses expéditions vers l'Ouest. En quelques années, les marchands canadiens cèdent graduellement la place à d'autres, surtout des Écossais, établis eux aussi à Montréal.

Pour ces derniers, la partie n'est pas toujours facile. La concurrence est vive, et nombreux sont ceux qui doivent abandonner. Au bout de quelques années, certains émergent du peloton : les Frobisher, Henry, McGill, McTavish, entre autres, forment la nouvelle bourgeoisie du castor de Montréal. La plupart ont séjourné dans l'Ouest et maîtrisent bien les secrets de la traite.

Se rendant compte que la concurrence sans limites accroît les dépenses et réduit les profits, ils cherchent à regrouper leurs forces. Cela explique la création de la Compagnie du Nord-

Ouest, en 1779. Au fil des ans, celle-ci en vient à rassembler la plupart des marchands montréalais et des commerçants qui hivernent dans l'Ouest. L'entreprise met en place un réseau unifié de postes de traite et améliore le système de transport. Cette association permet de mieux faire face à la concurrence de la Compagnie de la baie d'Hudson.

Comme sous le régime français, la quête de nouveaux territoires de fourrures entraîne les Montréalais à pousser toujours plus loin l'exploration du continent. C'est ainsi par exemple qu'Alexander Mackenzie explore le fleuve qui portera son nom et atteint l'océan Arctique en 1789, puis traverse les Rocheuses et se rend jusqu'au Pacifique en 1793.

Au début du XIXe siècle, la Compagnie du Nord-Ouest domine le commerce des fourrures en Amérique du Nord britannique. Elle a mis en place un réseau serré de postes de traite qui s'étend jusqu'au Pacifique. Il est contrôlé depuis Montréal, d'où partent les marchandises et où arrivent les fourrures, expédiées ensuite vers la Grande-Bretagne. Les principaux partenaires de la compagnie s'enrichissent énormément et dominent la société montréalaise. Depuis 1785, ils se réunissent régulièrement en hiver pour festoyer au Beaver Club.

Certains marchands montréalais ne sont pas membres de l'association à la base de la Compagnie du Nord-Ouest et lui font concurrence. Ils forment notamment la Compagnie XY, en 1797, mais après quelques années d'une opposition coûteuse, la Compagnie du Nord-Ouest absorbe sa rivale en 1804.

La concurrence la plus importante vient cependant de la Compagnie de la baie d'Hudson, qui bénéficie de coûts de transport moins élevés. Après s'être longtemps contentée d'attendre les Amérindiens à ses postes le long de la baie, l'entreprise réorganise ses méthodes et décide elle aussi de s'étendre vers l'intérieur du continent. Bientôt surgissent un peu partout dans l'Ouest des postes de la Compagnie de la baie d'Hudson, dans le voisinage de ceux de la Compagnie du Nord-Ouest. La concurrence s'avive et les prix montent, ce qui se révèle coûteux pour les deux entreprises. Celles-ci amorcent des négociations qui aboutissent en 1821 à une fusion au bénéfice de la Compagnie de la baie d'Hudson.

La Compagnie du Nord-Ouest disparaît et le commerce des fourrures se fera désormais à partir de la baie d'Hudson. Montréal perd ainsi l'empire de traite qui a été sa raison d'être pendant plus d'un siècle et demi. Il faudra plusieurs décennies avant que les bourgeois montréalais reprennent pied dans la Prairie de l'Ouest, mais dans un tout autre contexte, celui de la colonisation appuyée sur les chemins de fer.

Des années d'incertitude

Mais revenons de nouveau à la ville elle-même. De 1760 à 1764, elle est occupée par les militaires, jusqu'à l'établissement d'un gouvernement civil. Elle connaîtra une seconde occupation pendant la guerre d'indépendance des États-Unis, lorsqu'une armée américaine s'installera dans la ville pendant quelques mois, en 1775-1776. Sauf durant ce bref intermède, Montréal abritera pendant près d'un siècle une garnison britannique, installée dans l'est de la ville, puis à l'île Sainte-Hélène. Sur le plan de la stratégie militaire, Montréal n'occupe cependant plus la place primordiale qui était la sienne à l'époque française.

Le changement le plus notable apporté par la Conquête est

la prise en mains du contrôle de l'économie par une poignée de marchands anglais, écossais ou américains arrivés sur les traces de l'armée. Malgré leur petit nombre, ces marchands cherchent à occuper une place importante dans la gestion de la nouvelle colonie britannique. Ils s'opposent à ce que les catholiques aient accès aux postes officiels et réclament l'application des lois anglaises. Ils obtiennent en bonne partie satisfaction avec la Proclamation royale de 1763. Les catholiques sont exclus des postes administratifs à moins d'abjurer leur foi. Les membres des élites canadiennes font alors pression sur la Grande-Bretagne pour faire changer cette politique qui les écarte de la vie publique et ils obtiennent à leur tour satisfaction avec l'Acte de Québec de 1774. Désormais, les catholiques seront sur un pied d'égalité avec les protestants, et les lois civiles françaises s'appliqueront dans la province.

Par ailleurs, les marchands britanniques de Montréal réclament avec insistance la création d'une chambre d'assemblée, comme dans les autres colonies anglaises. Certains se montrent même sympathiques aux revendications des colonies américaines et prendront parti pour ces dernières pendant leur guerre d'indépendance et leur occupation de Montréal, en 1775-1776. Les Américains profitent de leur présence dans la ville pour tenter de répandre leurs idées auprès des Canadiens, sans grand succès. C'est dans ce contexte qu'arrive Fleury Mesplet, le premier imprimeur de Montréal. Resté sur place après le départ des troupes d'invasion, il fondera en 1778 la *Gazette littéraire*, premier journal de la ville.

Les décennies qui suivent la Conquête représentent donc, à Montréal comme dans le reste du pays, des années d'incertitude caractérisées par de vives luttes entre les marchands britanniques et les élites canadiennes et marquées par la révolution américaine. Ce sont là des aspects bien connus de l'histoire du Canada.

À Montréal même, l'arrogance des hommes d'affaires britanniques et leur mépris à l'égard des Canadiens sont source de tensions. De leur côté, les membres des élites canadiennes, en particulier les autorités religieuses, affichent un loyalisme officiel envers la Couronne britannique et cherchent à s'appuyer sur le gouverneur pour contrer la politique des marchands.

Parce qu'ils ne forment qu'une minorité de la population, les Britanniques doivent s'insérer dans la société urbaine existante. Ils doivent utiliser le français dans leurs contacts quotidiens avec la population. Plusieurs épousent des Canadiennes. Les commerçants de fourrures, du moins au début, s'associent avec des voyageurs canadiens qui connaissent bien les conditions de la traite dans l'Ouest et sont rompus aux négociations avec les Amérindiens. Il y a donc une certaine interpénétration des élites, même si elles restent distinctes à bien des égards. Aux autres échelons de la société, chez les artisans, les journaliers et les habitants, la situation ne change guère et la population montréalaise reste massivement d'origine française.

Le régime seigneurial existant est maintenu après la Conquête. Le Séminaire de Saint-Sulpice se fait céder par celui de Paris la seigneurie de Montréal. Cette transaction n'est pas immédiatement reconnue par les autorités britanniques, et les sulpiciens vivront un certain temps dans l'incertitude. À long

Page ci-contre : Montréal vers 1760-1762. La ville est entourée de murailles de pierre. Les faubourgs se sont développés le long des principales voies de circulation, à l'est, au nord et à l'ouest. (Archives nationales du Canada, NMC 10842)

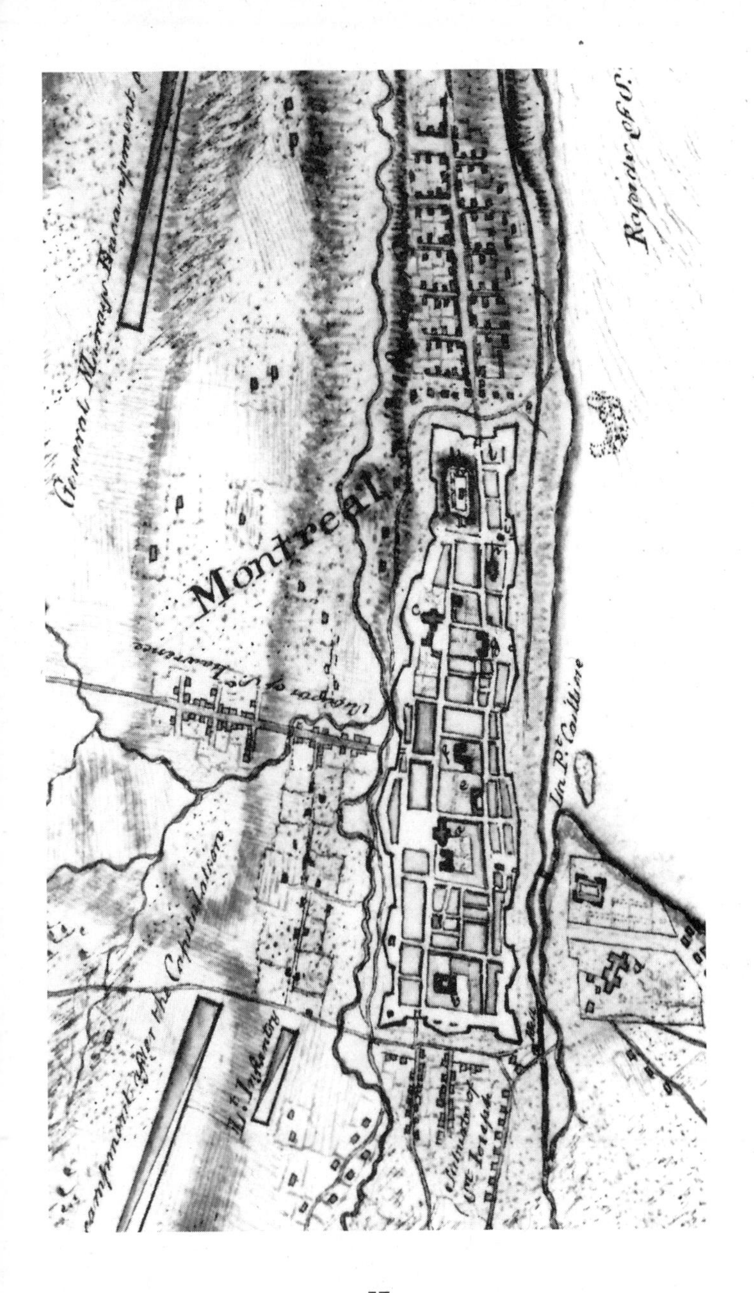
Montreal

terme leurs droits seront confirmés, ce qui assurera la solidité financière du Séminaire.

La permanence des institutions catholiques représente d'ailleurs l'un des principaux éléments de continuité. L'Église arrive à maintenir ses positions. Le Séminaire de Saint-Sulpice reste à la tête de la paroisse Notre-Dame, les Hospitalières poursuivent leur œuvre à l'Hôtel-Dieu, les Sœurs Grises, à l'Hôpital général, et les sœurs de la Congrégation de Notre-Dame, dans les écoles. Le gouvernement britannique interdit toutefois aux ordres religieux masculins de recruter de nouveaux candidats, de sorte qu'au bout de quelques décennies les jésuites et les récollets s'éteindront avec la mort de leur dernier représentant.

L'allure générale de la ville ne change pas beaucoup dans les décennies qui suivent la Conquête. Les Britanniques qui se font construire des maisons adoptent l'architecture montréalaise traditionnelle, héritée du régime français. Dans sa forme extérieure, Montréal reste donc une petite ville française. Le processus de transformation de la ville centrale, amorcé précédemment à la faveur des incendies, se poursuit. Son espace devient de plus en plus le lieu de résidence de la classe bourgeoise qui s'y fait construire de solides maisons de pierre, souvent plus grandes que celles qui s'y trouvaient auparavant. Les artisans et les journaliers se dirigent en nombre croissant vers les faubourgs qui, à la fin du siècle, abritent une plus grande partie de la population que la ville entre les murs. En 1792, ces faubourgs seront d'ailleurs intégrés dans les limites officielles de la ville de Montréal.

La gestion de la ville change de façon notable puisqu'elle ne relève plus de l'administration coloniale mais du corps des juges de paix, formé de notables locaux, en majorité britanniques. Ces juges ont la responsabilité d'édicter des règlements concernant les travaux publics, la construction, les marchés, la police locale, etc., qui ne diffèrent pas beaucoup de ceux qu'édictaient auparavant les intendants.

Vers la fin du XVIIIe siècle, Montréal conserve donc les traits typiques d'une petite ville préindustrielle, aussi bien dans son aménagement physique que dans sa structure sociale. Le commerce des fourrures y est toujours l'activité dominante. Des changements importants commencent toutefois à se manifester dans les dernières années du siècle et ouvrent une nouvelle page de l'histoire de la ville.

chapitre 6

Le relais commercial britannique 1800-1850

Pendant la première moitié du XIXe siècle, Montréal connaît des transformations étonnantes. Sa croissance dépasse tout ce qu'elle a connu auparavant. Une nouvelle activité commerciale prend la relève du commerce des fourrures et modifie les structures économiques de la ville. La population, beaucoup plus nombreuse, devient majoritairement anglophone. Le territoire urbanisé s'étend et exige de nouvelles formes de gestion.

Une métropole commerciale

Les transformations de Montréal s'expliquent d'abord par une immigration de masse au Canada. Le mouvement s'amorce après la guerre d'indépendance des États-Unis, lorsqu'arrivent des milliers de loyalistes qui se dirigent principalement vers l'Ontario, dont ils entreprennent la colonisation systématique. Il s'amplifie à partir de 1815 quand la fin des guerres napoléoniennes et les difficultés économiques qui sévissent en Irlande amorcent une vague migratoire sans précédent à partir des îles Britanniques.

Parallèlement, la population canadienne-française augmente à un rythme rapide, grâce à une très forte natalité. Les campagnes de la plaine de Montréal se peuplent en quelques décennies et dépassent en importance celles de la région de Québec.

Alors qu'à l'époque de la Nouvelle-France la faiblesse de la population rurale avait constitué un frein au développement de Montréal, la situation est maintenant renversée. La ville se trouve au cœur d'un monde rural en expansion rapide, qui comprend la vaste plaine de Montréal et surtout l'Ontario, pour lequel elle est la principale porte d'entrée.

Tous ces nouveaux agriculteurs ont besoin de nombreux produits et cherchent à vendre le surplus de leurs récoltes. Montréal va jouer le rôle de principal intermédiaire dans ces échanges.

La ville est ainsi placée à la tête d'un commerce beaucoup plus diversifié dont les retombées sont considérables. Elle exporte en Grande-Bretagne les produits agricoles, principalement du blé, et en importe une foule de produits manufacturés. Cette nouvelle situation stimule également la fabrication dans la ville. On y construit des navires et leur équipement pour répondre aux besoins du commerce, on y fait des chaussures, des articles de quincaillerie et d'autres produits qui remplacent graduellement les importations et qui sont distribués dans les campagnes grâce aux réseaux mis en place par les marchands montréalais. La croissance de la population de la ville même fournit du travail à un grand nombre de petits producteurs. La fabrication se fait encore surtout dans les ateliers des artisans, mais des fabriques plus importantes commencent à émerger, telle la brasserie de John Molson.

Un tel surcroît d'activité stimule évidemment la construction et le commerce de détail, mais aussi le secteur des services. Les transports exigent plus de bras, les auberges se multiplient, de même que les journaux. Il faut aussi plus de domestiques. Dans ce contexte, la perte du commerce des fourrures en 1821 n'a pas d'effets désastreux, tant l'économie montréalaise s'est diversifiée au cours des décennies précédentes.

Pour que le nouveau commerce montréalais fonctionne avec efficacité, il faut cependant réorganiser le système de transport. Le canot d'écorce convenait bien à la traite des fourrures, mais il est tout à fait inadéquat pour répondre aux besoins d'échanges plus massifs. Les marchands montréalais font donc construire des bateaux et forment des entreprises de navigation qui gèrent le transport entre Montréal et l'Ontario et entre Montréal et Québec. John Molson lance même en 1809 le premier navire à vapeur sur le Saint-Laurent, l'*Accommodation,* qui fait la navette entre la ville et la Vieille Capitale. Les hommes d'affaires obtiennent aussi du gouvernement la canalisation du Saint-Laurent, qui permettra à leurs navires de contourner les rapides. Ainsi, le canal de Lachine, un vieux projet auquel avaient pensé les sulpiciens à l'époque de la Nouvelle-France, devient enfin réalité en 1825 et sera agrandi dans les années 1840. D'autres canaux sont aménagés le long du fleuve, jusqu'aux Grands Lacs.

Il faut aussi s'occuper du port. La grève boueuse qui s'étend devant la ville oblige les navires à jeter l'ancre au large, et le déchargement des marchandises doit se faire au moyen de barques. Les marchands veulent des quais et réclament qu'un organisme permanent soit chargé de les aménager. Ils obtiennent gain de cause en 1830 avec la création de la Commission du port, au sein de laquelle les intérêts commerciaux sont bien représentés. Celle-ci se met aussitôt à l'œuvre et fait construire de solides quais.

Les hommes d'affaires de Montréal s'intéressent aussi à partir des années 1830 à un nouveau moyen de transport : le train. En 1836, ils font construire le premier chemin de fer au Canada, qui relie Laprairie à Saint-Jean et accélère les communications avec les États-Unis. Au cours de la décennie suivante, ils participeront à plusieurs autres projets de voie ferrée.

Maîtres du réseau de transport, les hommes d'affaires montréalais parachèvent leur contrôle des circuits d'échange par la mise en place d'un réseau commercial. Celui-ci va des importateurs-exportateurs de Montréal jusqu'aux plus petits marchands de campagne, en passant par des grossistes régionaux, et s'appuie sur le crédit fourni par des entreprises de la Grande-Bretagne. Comme cela implique de nombreuses opérations financières, ils mettent sur pied leurs propres banques, à commencer par la première au Canada, la Banque de Montréal, créée en 1817.

Toutes ces transformations permettent à Montréal de remplacer Québec à titre de métropole du pays à partir des années 1830. C'est ici que se concentre désormais la puissance économique au Canada. Montréal occupe donc une position dominante, tout en étant très dépendante de la Grande-Bretagne et de ses entreprises commerciales. Elle devient ainsi un maillon important du réseau économique que représente l'Empire britannique.

Une population nouvelle

L'expansion économique entraîne une forte croissance de la population, plus rapide que dans l'ensemble du pays. Pendant la deuxième moitié du XVIIIe siècle, la population de Montréal a doublé, mais au cours du demi-siècle suivant elle se multiplie par six. D'environ 9 000 habitants vers 1800, elle passe à 23 000 en 1825 et à 58 000 en 1852. Montréal est maintenant la ville la plus populeuse du Canada et elle conservera ce titre pendant un siècle et demi.

L'immigration joue un rôle déterminant dans cet accroissement. Déjà le recensement de 1825 permet de constater que le tiers des Montréalais sont nés à l'étranger. Au recensement suivant, en 1831, on se rend compte que le cinquième de la population a immigré au cours des six années précédentes. Des changements aussi rapides ne manquent pas de bouleverser l'allure de la petite ville qu'était encore Montréal au début du siècle.

Ils se reflètent d'abord dans la composition ethnique de la population. Les effectifs d'origine britannique — les Anglais, les Écossais et surtout les Irlandais qui forment plus de la moitié des nouveaux venus — explosent. À partir de 1831, la majorité de la population de Montréal est d'origine britannique et le restera pendant 35 ans.

Dans ce contexte, les anglophones ne sont plus seulement une poignée de marchands et d'administrateurs mais sont présents dans toutes les classes de la société : ils grossissent les rangs des artisans, mais aussi ceux des manœuvres et des domestiques parmi lesquels se trouve la majorité des Irlandais. La nouvelle composition ethnique s'inscrit nettement dans l'espace urbain : les Anglais et les Écossais dominent dans l'ouest, les Irlandais se concentrent dans le sud-ouest, tandis que l'est constitue le fief des Canadiens. Ces divisions ne sont évidemment pas étanches, car on trouve aussi bien des francophones dans l'ouest que des anglophones dans l'est.

L'arrivée aussi massive et rapide de Britanniques a un impact culturel considérable. La langue anglaise s'impose partout. Les groupes et établissements britanniques — temples, écoles, associations, etc. — se multiplient. L'architecture de la ville se transforme avec l'érection d'édifices dont l'inspiration vient de la Grande-Bretagne.

Cette situation nouvelle provoque des tensions ethniques qui culminent au cours des années 1830, alors que le Parti patriote mène une lutte politique qui aboutira aux rébellions de 1837 et 1838. La violence s'accroît et les rues de la ville prennent périodiquement l'allure d'un champ de bataille où s'affrontent Loyaux et Patriotes. Les rébellions n'éclatent cependant pas à Montréal même, où les Britanniques sont trop nombreux et où la garnison est renforcée, mais dans la région environnante où dominent les Canadiens. L'écrasement militaire des rébellions consacre la victoire politique des *Montrealers*. Montréal désormais leur appartient.

L'effet conjugué de l'immigration et des transformations économiques se reflète sur la structure sociale. Les rangs de la bourgeoisie commerciale s'élargissent de façon notable. À la poignée de barons de la fourrure succèdent de nombreux marchands dont certains commencent à se spécialiser. Une hiérarchie plus nette s'installe entre les grands hommes d'affaires — les McGill, Molson, Torrance, Moffatt ou Ferrier — qui ont la haute main sur les réseaux du commerce, du transport et des finances, et les marchands locaux dont l'aire d'influence est plus réduite. Les Écossais et les Anglais dominent le premier groupe, où seuls quelques Canadiens — tels Masson ou Cuvillier — s'illustrent. Le champ d'action des francophones est généralement limité à l'espace de la ville et de sa région immédiate.

Les effectifs des artisans explosent eux aussi grâce aux nouvelles possibilités qu'offre l'expansion rapide. On le constate en particulier pour les métiers du cuir et du vêtement, mais aussi pour ceux des métaux et du matériel de transport, du bois et des aliments. La construction devient très importante et emploie le dixième de la main-d'œuvre. Ce dernier secteur est dominé par les francophones, mais dans les autres la montée des anglophones est notable.

Dans cette ville qui en est encore à l'étape préindustrielle, le poids des manœuvres et des domestiques — 40 % de la main-d'œuvre en 1825 — est considérable. Leurs rangs sont évidemment grossis par l'afflux d'Irlandais, pauvres et peu qualifiés. Les manœuvres sont employés surtout dans les transports et la construction. Les domestiques sont en majorité des femmes et des adolescentes, surtout immigrantes. Cette population constitue une armée de réserve pour les manufactures, qui se multiplient au cours des années 1840, et formera la base du prolétariat industriel de Montréal.

L'immigration accentue aussi la diversité religieuse. De nombreuses sectes protestantes sont maintenant établies à Montréal, chacune avec ses temples et ses organismes. La ville se couvre de clochers, la plupart protestants. Mais, avec les Canadiens et les Irlandais, la majorité de la population reste catholique. L'Église catholique doit d'ailleurs s'ajuster à la présence irlandaise en mettant sur pied des entités spécifiques. Elle recrute des prêtres et des religieuses de langue anglaise et crée une paroisse irlandaise, Saint-Patrick, dont l'église est érigée en 1847.

L'Église doit aussi adapter ses structures à l'expansion de la région montréalaise. L'objectif est d'y créer un diocèse distinct de celui de Québec. Dans un premier temps, Jean-Jacques Lartigue est nommé évêque auxiliaire pour Montréal en 1820. Cette nomination suscite de vives tensions avec le Séminaire de Saint-Sulpice, qui a jusque-là dominé la vie religieuse montréalaise ; ces tensions s'aplanissent à partir de 1835. Montréal obtient finalement un évêché distinct en 1836, mais Mgr Lartigue meurt en 1840. Son successeur, Ignace Bourget, marquera profondément l'histoire de Montréal au cours des décennies suivantes. La nomination d'un évêque dans la ville entraîne la construction de la cathédrale Saint-Jacques, inaugurée en 1825, tandis que, pour répondre à l'accroissement des fidèles, les sulpiciens font bâtir la nouvelle église Notre-Dame (1824-1829).

Un espace réaménagé

En 1792, le gouvernement redéfinit les limites de la ville de Montréal, les établissant à une distance de 100 chaînes (environ 2 km) des murailles. Le nouveau territoire, qui forme un vaste rectangle, contient la vieille ville, les faubourgs et une importante zone rurale autour de ceux-ci. Montréal a ainsi amplement d'espace pour assurer son expansion pendant plusieurs décennies.

La tendance amorcée au cours de la période précédente se poursuit : la croissance se fait surtout du côté des faubourgs qui, en 1825, contiennent un peu plus des trois quarts de la population. Les plus importants sont les faubourgs Saint-Laurent, Québec et Saint-Joseph. En 1831, le gouvernement fait un premier découpage du territoire en quartiers, qui sera modifié en 1840 et surtout en 1845. À partir de cette dernière date, Montréal compte neuf quartiers : trois dans la vieille ville (Ouest, Centre, Est) et six pour le reste du territoire (Sainte-Anne, Saint-Antoine, Saint-Laurent, Saint-Louis, Saint-Jacques, Sainte-Marie). Ce découpage sera maintenu, avec des modifications mineures, jusqu'à la fin du siècle.

L'aménagement de l'espace urbain continue à relever de l'initiative privée. Une exception notable est la démolition des fortifications, devenues trop encombrantes, entre 1801 et 1817. Le gouvernement confie cette tâche à trois commissaires qui élaborent un véritable plan de mise en valeur des espaces ainsi libérés. Leur intervention aura des conséquences à long terme : canalisation des rivières, aménagement des rues de la Commune, Saint-Jacques et McGill, des squares Dalhousie et Victoria ainsi que du Champ-de-Mars.

C'est aussi au début du XIXe siècle qu'est créé le nouveau marché, future place Jacques-Cartier. L'ancien marché sera récupéré dans les années 1830 pour la construction de l'édifice de la Douane. En 1833, on fait construire le marché Sainte-Anne, situé place d'Youville, qui abritera le Parlement du Canada de 1844 à 1849, date à laquelle il sera détruit par un incendie allumé par des émeutiers britanniques protestant contre l'adoption d'une loi en vue d'indemniser les victimes des rébellions de 1837-1838. Cet événement mettra fin à la brève carrière de Montréal comme capitale du pays. Par ailleurs, l'administration municipale met en chantier en 1845 l'imposant édifice du marché Bonsecours, qui servira à la fois d'hôtel de ville et de marché public.

Ce ne sont là que quelques aspects des transformations qui touchent le Vieux-Montréal pendant la première moitié du

XIXe siècle. Le développement du commerce amène les marchands à y ériger des édifices plus considérables pour installer leurs magasins et leurs entrepôts, en particulier le long de la rue Saint-Paul. La rue Notre-Dame devient la principale artère du commerce de détail, tandis que la rue Saint-Jacques abrite le siège des premiers établissements financiers ; c'est là que la Banque de Montréal fait construire (1845-1848) un nouvel édifice face à la place d'Armes. À partir des années 1840, les marchands amorcent le mouvement qui les amènera à déménager leurs résidences dans le quartier Saint-Antoine, au pied du mont Royal, laissant au centre-ville une fonction commerciale et administrative.

Les édifices du Vieux-Montréal sont construits en pierre grise, extraite du sous-sol de l'île. Dans les faubourgs, en revanche, les maisons sont presque toujours en bois. Le style français de la maison avec toit en pignon continue à y prédominer, et c'est seulement au cours des années 1840 que commencent à se répandre le toit plat et un nouveau style de maisons en rangée, d'inspiration britannique. Au cours du demi-siècle, Montréal acquiert aussi une caractéristique qu'elle conservera très longtemps : elle devient une ville de locataires (environ 70 % des chefs de ménage en 1825), résultat de l'afflux d'une population pauvre qui n'a pas les moyens d'acquérir une propriété.

La gestion de la ville

Au début du XIXe siècle, l'administration locale relève toujours des juges de paix. Ce régime est mal adapté aux besoins d'une ville de la taille de Montréal qui doit gérer un espace en expansion et réaliser les grands travaux devenus nécessaires dans un milieu urbain en pleine transformation. Les chefs patriotes, qui luttent pour une démocratisation politique accrue, veulent le remplacement des juges de paix par des conseillers municipaux élus. De leur côté, les marchands britanniques font campagne pour l'obtention d'une Commission du port. Faisant taire leurs divergences habituelles, les deux groupes font front commun en appuyant conjointement les deux projets. La Commission du port est créée en 1830 et la loi d'incorporation de la municipalité est adoptée l'année suivante, mais n'est mise en application qu'en 1833. Un premier conseil municipal est alors élu et choisit Jacques Viger pour occuper le poste de maire. L'expérience est cependant de courte durée puisque la loi ne s'applique que jusqu'en 1836 et que les troubles politiques qui sévissent alors empêchent sa reconduction. Les juges de paix retrouvent donc leurs fonctions pour quelques années.

L'expérience municipale reprend en 1840. Les membres du conseil sont choisis par le gouverneur, mais en 1843 on revient au système électif. Les conseillers et échevins choisissent le maire dans leurs rangs et il faudra attendre 1852 pour que celui-ci soit élu directement par les citoyens. Propriétaires et locataires ont le droit de vote, à condition que la valeur de leur propriété ou de leur loyer atteigne un certain seuil, et ils sont exclus du scrutin s'ils n'ont pas payé leurs taxes municipales. À cause de ces restrictions, une partie importante des citoyens ne peuvent exprimer leur choix au moment des élections. À partir des années 1840, le conseil compte une majorité d'anglophones. Ce sont surtout de grands hommes d'affaires qui gèrent la Ville un peu à la façon d'une entreprise privée. À la mairie, une entente tacite prévoit une alternance entre francophones et anglophones, bien que celle-ci ne soit pas toujours rigoureusement respectée.

La municipalité, qui se finance principalement par la taxe foncière, réglemente les activités de nature locale (construction, marchés, paix publique) et s'occupe de la voirie. Les services publics sont à peu près inexistants. Cela commence à poser de graves problèmes, compte tenu de l'expansion de Montréal. Quand celle-ci n'était qu'une petite ville de quelques milliers d'habitants, on pouvait s'en remettre à l'initiative privée et à l'entraide. Mais, avec une population beaucoup plus considérable, certains problèmes peuvent prendre des proportions catastrophiques.

Comme toutes les villes préindustrielles, Montréal est d'ailleurs régulièrement frappée par de grands fléaux. C'est toujours le cas pour les incendies. Le pire d'entre eux surviendra en 1852, détruisant 1 200 maisons et laissant 9 000 personnes sur le pavé. Pour les combattre, Montréal n'a que quelques compagnies de pompiers volontaires, et il faudra attendre 1863 avant que la municipalité n'organise son propre corps de pompiers. Pour éteindre les incendies, il faut aussi de l'eau en quantité suffisante, ce qui n'est pas le cas. Les Montréalais s'approvisionnent au fleuve ou à des fontaines publiques. Un réseau d'aqueduc privé existe depuis 1819, mais il ne dessert qu'une partie du territoire. La Ville en fait l'acquisition en 1845. Il faut cependant attendre 1852 pour qu'elle amorce la construction d'un nouvel aqueduc, qui sera achevé en 1856. Avec toutes ces mesures, on n'aura plus à déplorer par la suite de désastres ayant l'ampleur de celui de 1852.

Un autre grand fléau est celui des épidémies. Le choléra frappe en 1832, 1834, 1849 et 1854, le typhus en 1847 : au total, plus de 8 000 Montréalais perdent la vie. Plus globalement, les conditions sanitaires de la ville sont déplorables. Les déchets sont déposés un peu partout, les eaux d'égout se retrouvent dans le sol ou les rues et il n'y a guère de mesures d'hygiène publique autres que l'isolement des malades en cas d'épidémie. La ville est aussi touchée régulièrement par des inondations, ce qui n'améliore pas les conditions sanitaires.

L'arrivée massive d'immigrants aggrave les problèmes et concourt à accroître la pauvreté. Les organismes de charité privés, en particulier les communautés religieuses, font de leur mieux pour soulager la misère et venir en aide aux victimes des épidémies. Mais leurs effectifs et leurs ressources sont insuffisants. Il faudra attendre l'expansion considérable des œuvres catholiques, sous l'impulsion de Mgr Bourget, pour que les divers organismes soient mieux en mesure de répondre aux besoins.

Montréal, en somme, a grandi trop vite et ses dirigeants paraissent pris de court. La seconde moitié du XIXe siècle verra toutefois la mise en place d'un ensemble de services publics répondant mieux aux exigences d'une grande ville.

chapitre 7

La ville industrielle 1850-1896

Vers le milieu du XIXe siècle, Montréal amorce une nouvelle phase de son histoire qui fera d'elle le plus grand centre industriel du Canada. Sa population et son paysage seront façonnés de manière durable par les forces que déclenche le processus d'industrialisation.

Une grande ville

À compter de 1850, Montréal prend de plus en plus l'allure d'une grande ville, même d'une métropole. Sa population, de 58 000 habitants en 1852 et de 107 000 en 1871, dépasse les 267 000 en 1901 et atteint presque les 325 000 avec la banlieue. C'est un changement d'échelle appréciable. Une telle croissance ne se fait pas de façon continue. Après une forte poussée dans les années 1850, suivie d'un ralentissement pendant les deux décennies suivantes, elle fait de nouveaux bonds à l'aube des années 1880, puis à l'extrême fin du siècle.

Vers 1850, l'immigration est encore forte, alimentée par la vague irlandaise. Mais celle-ci arrive à la fin de sa course et, pendant quelques dizaines d'années, Montréal accueille proportionnellement beaucoup moins d'immigrants qu'au cours des années antérieures. L'exode rural prend alors la relève pour alimenter la population montréalaise. Dans les dernières décennies du XIXe siècle, des centaines de milliers de personnes quittent une campagne qui a peu à leur offrir, dans l'espoir d'améliorer leur sort. La plupart s'en vont aux États-Unis, mais un certain nombre aboutissent à Montréal. Il y a parmi elles des anglophones des Cantons de l'Est, de l'Ontario et des provinces Maritimes et surtout beaucoup de francophones du Québec.

Pour loger cet afflux de population nouvelle, ainsi que les enfants des Montréalais déjà établis, il faut construire un grand nombre de nouveaux logements, de sorte que le territoire urbanisé s'étend. Au début, la ville peut les accueillir à l'intérieur de ses limites, mais à partir des années 1870 le peuplement déborde vers de nouvelles municipalités de banlieue : Hochelaga à l'est, Saint-Jean-Baptiste au nord, Saint-Gabriel, Sainte-Cunégonde et Saint-Henri au sud-ouest, et d'autres qui s'ajoutent par la suite. En 1891, il y a déjà près de 70 000 personnes dans ces nouveaux territoires qui entourent la ville de base. Montréal commence d'ailleurs à vouloir intégrer ces municipalités qui se greffent sur ses flancs et elle en annexe quatre entre 1883 et 1893.

L'expansion territoriale s'accompagne d'une mutation en profondeur de l'architecture résidentielle. Le modèle traditionnel de la maison de bois ou de pierre avec toit en pignon, qui règne en maître à Montréal depuis deux siècles, est carrément abandonné au profit de nouvelles formes. Le toit plat devient la norme partout. L'usage de la brique se généralise. Un nouveau type de maisons en rangée, avec une ruelle à l'arrière des lots, fait son apparition dans les quartiers huppés sous la forme du *terrace house* d'inspiration britannique. Mais dans les quartiers ouvriers la grande nouveauté est le duplex, comprenant deux logements superposés, qui se répand comme une traînée de poudre à partir des années 1860 et qui deviendra le modèle de base de la maison montréalaise. Du duplex on évolue vers le triplex ; l'un et l'autre — ainsi que leurs variantes pouvant comprendre jusqu'à cinq ou six logements — répondent bien aux besoins d'une population en croissance, qui est massivement locataire et qui, disposant de faibles revenus, cherche un logement peu coûteux.

Les nouveautés architecturales ne touchent d'ailleurs pas que le secteur résidentiel. La façon de construire les immeubles commerciaux se transforme en profondeur : plan libre, ossature de fer ou d'acier, ascenseur permettent d'ériger des bâtiments plus vastes et plus hauts. Les styles propres à l'architecture victorienne s'expriment avec vigueur. Le Vieux-Montréal en témoigne : les nouveaux magasins-entrepôts et immeubles de bureaux s'y multiplient en éliminant une grande partie de l'héritage français de la ville.

La croissance démographique et territoriale rend par ailleurs nécessaire la mise en place de réseaux modernes de services publics afin de résoudre les problèmes qui avaient pris une ampleur nouvelle au cours de la période précédente. L'inauguration du nouvel aqueduc, en 1856, permet d'assurer un approvisionnement en eau qui est efficace et dessert toute la ville. S'y ajoute un réseau d'égouts souterrains qui contribue à assainir l'espace urbain. Le Service des incendies est créé en 1863, le Bureau de santé, en 1865. La municipalité gère aussi d'autres services, tels l'inspection des bâtiments, la police, les marchés, les parcs. Le premier grand parc de Montréal, celui du Mont-Royal, est créé en 1874 et, pour l'aménager, on fait appel au plus célèbre architecte paysagiste de l'époque, l'Américain Frederick Law Olmsted, qui a conçu Central Park à New York ; par la suite, la Ville développe le parc La Fontaine et celui de l'île Sainte-Hélène.

Certains services publics sont cependant gérés par l'entreprise privée. C'est notamment le cas du transport en commun. Le service de tramways à Montréal est inauguré en 1861. Les voitures sont tirées par des chevaux ; elles roulent sur des rails en été et sont munies de patins en hiver. Le réseau s'étend graduellement, mais son expansion deviendra beaucoup plus considérable à partir de 1892, quand on adoptera le tramway électrique, nettement plus rapide et plus efficace. Celui-ci, qui inaugure véritablement le transport de masse, viendra appuyer l'expansion urbaine en facilitant les communications d'un bout à l'autre du territoire. D'autres services relèvent aussi de l'entreprise privée. Le service du gaz fonctionne depuis 1836. L'électricité, dont l'industriel canadien-français J.-A.-I. Craig fait une première démonstration publique en 1879, devient un service public au cours des années 1880 et commence même à remplacer le gaz pour l'éclairage des rues. Quant au téléphone, il apparaît dans la ville à compter de 1877.

À la fin du XIXe siècle, Montréal a donc acquis toutes les caractéristiques d'une grande ville moderne. Les nouvelles inventions, de l'ascenseur au tramway électrique, s'y diffusent rapidement. La ville a d'ailleurs un grand nombre de journaux qui publient l'information locale et étrangère et mettent les Montréalais en contact avec le monde qui les entoure.

L'impact de l'industrie

L'expansion de Montréal pendant la seconde moitié du XIXe siècle trouve sa cause principale dans l'implantation de l'industrie manufacturière. Le Canada connaît en effet une première vague d'industrialisation à partir des années 1840, puis une seconde dans les années 1880. Après l'union du Haut-Canada et du Bas-Canada en 1840, le marché intérieur canadien atteint une taille suffisante pour soutenir une production manufacturière autonome dans certains secteurs et se libérer ainsi des importations. Ce marché est encore agrandi en 1867 par la Confédération, puis dans les années suivantes par l'acquisition de l'Ouest et l'intégration de la Colombie-Britannique. Une partie importante de cette nouvelle activité de production s'établit naturellement dans la ville, qui est au cœur même des réseaux du transport, du commerce et des finances du pays.

Ces réseaux, que les hommes d'affaires de Montréal ont mis en place au cours de la période précédente, continuent à se développer. Les grossistes montréalais, qui se distinguent de plus en plus des détaillants, desservent une vaste clientèle de marchands établis dans les petites villes, les villages et les campagnes. Les banques montréalaises se multiplient et étendent leurs réseaux de succursales ; parmi elles, la Banque de Montréal reste la plus importante du pays.

L'avantage principal de Montréal est toutefois sa position stratégique au cœur des systèmes de transport. Son port est devenu le plus achalandé du Canada : chaque été on y observe une véritable forêt de mâts de navire. La Commission du port améliore les installations et, sous l'impulsion de son président, John Young, elle fait creuser, à partir de 1850, un chenal dans le fleuve entre Québec et Montréal. De plus gros océaniques peuvent ainsi se rendre jusque dans la métropole. Les frères Hugh et Andrew Allan mettent sur pied l'une des lignes transatlantiques les plus importantes de l'histoire du Canada et sont fort actifs dans de nombreuses autres entreprises montréalaises.

À sa position dominante dans le secteur maritime, Montréal en ajoute une autre dans le secteur ferroviaire, qui joue un rôle essentiel dans la distribution des produits manufacturés. Deux grands réseaux de chemins de fer sont mis en place au Canada : celui du Grand Tronc couvre le sud du Québec et de l'Ontario à compter de 1854, tandis que celui du Canadien Pacifique traverse le pays et atteint la région de Vancouver en 1886. Or tous deux installent à Montréal le siège de leurs activités et leurs principaux ateliers de construction et d'entretien du matériel roulant. L'impact de leur présence sur l'économie de la métropole est considérable.

Pour sa part, l'industrie manufacturière montréalaise, avec sa production regroupée dans de grandes usines mécanisées, émerge vraiment à partir des années 1840. Elle s'organise autour de deux pôles. Le premier est celui de l'industrie légère, qui repose sur l'emploi d'une main-d'œuvre abondante, peu qualifiée et faiblement payée, parmi laquelle on retrouve surtout des Canadiens français venus du monde rural. On y recense plusieurs industries distinctes. La chaussure, vieille spécialité montréalaise, occupe le premier rang de l'industrie

Page ci-contre : Montréal en 1861. L'espace bâti, représenté en grisé, s'étend entre le fleuve et la rue Sherbrooke et ne couvre qu'une partie du territoire de la ville. (Archives de la Ville de Montréal, BM5-C71inv1898)

BOUNDARY
CITY BOUNDARY
THOMAS STAYNER STREET
JAMES WARD
CHARLES
POINT ST CHARLES DOCKS
RESERVOIR
UPPER PEEL ST
ST ELIZABETH ST
MAIN ST LAWRENCE ROAD
ISLE RONDE

de la ville en 1870. La confection de vêtements prend aussi une grande importance ; elle est dispersée dans de nombreux petits ateliers situés à proximité du centre-ville. De son côté, le textile, essentiellement la fabrication de tissus de coton, s'implante en banlieue où sont érigées de grandes usines, dont celle de Victor Hudon à Hochelaga. Montréal devient aussi le plus important centre canadien de transformation du tabac. Dans le vaste secteur de la production alimentaire, la ville attire de nombreuses industries : minoteries, raffineries de sucre, brasseries, distilleries, salaisons, fabriques de biscuits, etc.

Le deuxième pôle est celui de l'industrie lourde. Il fait appel à une main-d'œuvre beaucoup plus qualifiée, donc mieux payée, qui est majoritairement d'origine britannique. On y distingue deux grands secteurs. Celui des produits du fer et de l'acier assure la fabrication de moteurs, de rails et de tuyaux, mais aussi de poêles, d'ustensiles, d'outils et d'articles de quincaillerie. Le secteur du matériel ferroviaire produit des locomotives, des wagons et des pièces qui entrent dans leur fabrication.

Ce qui frappe déjà à cette époque, c'est la diversité de l'industrie montréalaise, où sont représentés la plupart des grands secteurs manufacturiers.

Cette nouvelle activité façonne au sein de la ville ce qu'on appelle un paysage industriel. Les usines ont tendance à s'installer près du port ou des voies ferrées. Autour d'elles s'agglutinent des résidences ouvrières. Aucune zone n'illustre mieux ce phénomène que celle du canal de Lachine, berceau de la grande industrie montréalaise. On y trouve, entre autres, les ateliers du Grand Tronc, des usines de machinerie et d'autres produits du fer et de l'acier, des filatures, la raffinerie de sucre Redpath ; leurs employés habitent les rues avoisinantes. Une concentration semblable se dessine dans l'est, dans le quartier Sainte-Marie, puis dans celui d'Hochelaga, avec en particulier de nombreuses entreprises de chaussures, de produits alimentaires, dont la brasserie Molson et la biscuiterie Viau, et les ateliers du Canadien Pacifique. Au nord du centre-ville se développera une troisième zone, celle de l'industrie du vêtement.

Une partie croissante de la main-d'œuvre travaille désormais en usine. Les conditions de travail y sont pénibles. Les revenus sont très bas, en particulier pour les ouvriers peu qualifiés, nombreux à Montréal. Le salaire du chef de ménage est généralement insuffisant pour faire vivre décemment une famille. Il faut donc combler le manque à gagner en envoyant parfois des enfants et surtout des adolescents sur le marché du travail. Dans ce contexte, le niveau de scolarisation reste assez bas. Les mères de famille doivent assurer une gestion serrée du budget familial, accepter des travaux de couture ou de blanchisserie à domicile ou encore prendre des pensionnaires.

Les heures de travail sont longues, la sécurité à peu près inexistante. Le chômage hivernal fait partie de l'univers des ouvriers du port, des transports et de la construction, mais il est également fréquent dans les usines. Le syndicalisme, qui en est à ses premiers pas, touche surtout les travailleurs les plus qualifiés, et son apport à l'amélioration des conditions de travail est encore modeste. La famille ouvrière moyenne vit donc dans un climat d'insécurité. La maladie est fréquente et la mortalité, surtout chez les nouveau-nés, très élevée. La population est constituée à 80 % de locataires et ses maigres revenus ne lui permettent pas toujours d'avoir un logement adéquat.

Par contraste, la situation des chefs d'entreprise et de leurs cadres supérieurs est enviable : maisons spacieuses et bien éclairées, grands jardins, nombreux domestiques, thés, banquets et réceptions. Les clivages sociaux deviennent de plus en plus marqués dans le Montréal de la seconde moitié du XIXe siècle.

Une ville britannique où bat un cœur français

En 1850, les Montréalais d'origine britannique forment encore la majorité. Grâce au ralentissement de l'immigration et à l'accélération de l'exode rural, la situation se renverse : les Canadiens français redeviennent majoritaires vers 1866 et à la fin du siècle constituent 60 % de la population. Malgré cela, la ville a une allure nettement britannique, dans ses institutions, dans son architecture, dans le rôle prédominant de la langue anglaise.

Le poids et l'influence de la grande bourgeoisie anglo-écossaise se font particulièrement sentir. Les Molson, les frères Allan, George Stephen, Donald Smith et William Macdonald accumulent d'immenses fortunes en investissant dans plusieurs secteurs ; ils contrôlent des entreprises d'envergure pancanadienne et entretiennent d'étroites relations avec la Grande-Bretagne. Eux et leurs semblables habitent au pied de la montagne, dans ce secteur qu'on appellera plus tard le *Golden Square Mile*. Ils fréquentent des clubs huppés, au recrutement sélectif. Ils contribuent généreusement au financement des établissements anglo-protestants, en particulier l'Université McGill et le Montreal General Hospital. Le Board of Trade est le porte-parole très écouté de cette classe dominante.

Pourtant les Canadiens français veulent se tailler une place dans cette ville qui est aussi la leur. On assiste à l'émergence d'une nouvelle bourgeoisie francophone qui s'active principalement dans le commerce de gros et dans certaines industries manufacturières. Les Rodier, Hudon, Barsalou, Rolland et Viau sont quelques-unes des vedettes de l'entrepreneurship francophone. Ils n'ont pas la puissance de leurs homologues anglophones, mais ils mettent sur pied des entreprises importantes à l'échelle montréalaise. De nouveaux établissements financiers canadiens-français viennent seconder leurs efforts, notamment la Banque Jacques-Cartier (1861) et la Banque d'Hochelaga (1874). Les hommes d'affaires francophones créent, en 1887, la Chambre de commerce du district de Montréal afin de défendre leurs intérêts, mal représentés par le Board of Trade.

Les Canadiens français effectuent aussi une percée en politique municipale. En 1882, ils obtiennent une majorité d'un siège au conseil municipal et leurs positions seront renforcées à compter de 1883 grâce aux annexions. Dès lors, les choses ne seront plus les mêmes. Le conseiller municipal Raymond Préfontaine met sur pied une solide organisation politique qui s'appuie sur les masses francophones et prend le pouvoir à l'Hôtel de Ville. Il pratique une politique populiste visant à faire profiter les électeurs canadiens-français et l'est de la ville des retombées des importants travaux de voirie qu'il fait réaliser.

Cela provoque une levée de boucliers chez plusieurs conseillers anglophones, issus du milieu des grandes affaires. Sous l'étiquette de réformistes, ils dénoncent le patronage pratiqué par l'organisation de Préfontaine. Ils s'opposent aux dépenses élevées engendrées par les grands projets de travaux publics. L'affrontement entre réformistes et populistes prend bientôt l'allure d'une lutte entre l'ouest et l'est, entre les possédants anglophones et les masses populaires francophones.

Cette tension perdurera sur la scène municipale pendant plusieurs décennies. Pour l'heure, les populistes canadiens-français sont maîtres du terrain.

La tension interethnique est à son comble en 1885. Une épidémie de variole provoque alors de graves affrontements, allant jusqu'à l'émeute, autour de la question de la vaccination obligatoire qu'une partie des élites, surtout anglophones, réclame et qu'une partie de la population francophone rejette. La même année, la pendaison du chef métis Louis Riel suscite de fortes réactions au sein de la population canadienne-française.

De façon générale, cependant, chacun des deux groupes a tendance à vivre à sa façon, avec ses institutions propres. Chez les Montréalais francophones, l'Église catholique joue un rôle très important dans l'organisation sociale. Elle connaît d'ailleurs une véritable renaissance sous l'épiscopat de Mgr Bourget. Celui-ci renforce l'emprise du clergé en faisant venir plusieurs communautés religieuses de la France et en favorisant la croissance des communautés montréalaises. Après une longue lutte contre les sulpiciens, il obtient de Rome en 1865 le démembrement de la paroisse Notre-Dame, ce qui lui permet de multiplier les paroisses sur le territoire et d'assurer ainsi un encadrement plus étroit des fidèles. Il bataille aussi longuement pour obtenir une université, ce qui sera chose faite en 1876 avec l'établissement d'une succursale de l'Université Laval à Montréal. Sous son épiscopat, les communautés féminines multiplient les œuvres nouvelles, maisons d'éducation et services sociaux de toutes sortes.

Il y a donc à Montréal deux univers distincts, séparés par la langue et la religion : celui des franco-catholiques et celui des anglo-protestants. Chacun possède ses églises, son système scolaire allant jusqu'à l'université, ses hôpitaux, ses services sociaux, ses organismes sociaux et culturels, ses journaux. Chacun occupe des zones distinctes dans l'espace montréalais. Entre les deux s'insère la communauté irlandaise, ayant un pied dans le monde anglophone et un autre dans l'univers catholique ; son importance est cependant en déclin. La petite communauté juive, que distinguent aussi la langue et la religion, constitue un autre groupe spécifique que vient renforcer l'arrivée d'une première vague d'immigrants en provenance de l'Europe de l'Est dans les années 1880.

Malgré ce cloisonnement ethnique et religieux qui paraît étanche, les groupes et les individus sont en interaction dans la ville — sur les lieux de travail, dans les magasins, dans la rue et les espaces publics — et les échanges sont nombreux. La coexistence est un processus dynamique en milieu urbain. Les clivages sociaux ajoutent à la diversité, chaque groupe ayant ses bourgeois et ses travailleurs, son élite et ses masses. À certains moments on peut déceler la primauté des solidarités ethniques ou religieuses, tandis qu'à d'autres les solidarités sociales semblent prédominer. La société montréalaise de la fin du XIXe siècle constitue ainsi un ensemble complexe, une juxtaposition d'univers distincts en interaction constante.

chapitre 8

La métropole du Canada 1896-1914

Entre la fin du XIXe siècle et le déclenchement de la Première Guerre mondiale, Montréal connaît l'une des plus fortes périodes de croissance de son histoire. La population explose et s'étend de plus en plus loin sur le territoire. La ville bourdonne d'activité et elle atteint le sommet de sa puissance de métropole du Canada.

Une croissance explosive

Les chiffres témoignent bien de cette effervescence. La ville ne comptait que 217 000 habitants en 1891 ; elle en a 468 000 en 1911 ; en y ajoutant la banlieue, on obtient respectivement 250 000 et 528 000, un gain de plus d'un quart de million en vingt ans.

Une telle croissance ne peut évidemment s'expliquer uniquement par la natalité ; elle se réalise parce que des dizaines de milliers de nouveaux venus s'installent en ville. Le mouvement d'immigration au Canada, considérablement ralenti dans les dernières décennies du XIXe siècle, reprend de plus belle au début du XXe et atteint des sommets inégalés. Une partie de cette vague aboutit à Montréal. Qui vient alors dans la métropole ? D'abord des Anglais, en particulier des ouvriers qualifiés qui trouvent à s'employer dans les usines de la ville. Mais Montréal est aussi témoin d'un phénomène nouveau : l'arrivée d'immigrants européens qui ne sont pas d'origine britannique. Parmi eux, les Juifs d'Europe de l'Est, fuyant les persécutions dont ils sont victimes, sont nettement les plus nombreux, mais viennent aussi des Italiens, des Polonais, des Russes, etc., qui tous cherchent à échapper à la misère qui sévit dans leurs régions d'origine. Par ailleurs, l'effet de l'exode rural s'accentue, et un grand nombre de Canadiens français et de Canadiens anglais continuent à quitter les campagnes pour venir en ville. En ce début de siècle, Montréal attire comme un aimant ceux qui espèrent améliorer leur sort et entreprendre une vie nouvelle.

La remarquable croissance économique de la métropole justifie ces mouvements migratoires. Tous les secteurs de l'économie montréalaise connaissent un essor notable. C'est d'abord le cas du commerce international et de la navigation. Le développement de l'agriculture dans l'Ouest canadien fait de Montréal le plus grand port d'exportation des céréales du pays. Pour répondre à la demande, la Commission du havre doit moderniser rapidement ses installations en construisant de nouveaux quais et des élévateurs à grains. C'est à ce moment-là qu'est aménagé l'actuel Vieux-Port et qu'on développe le port de l'est, à la hauteur de Maisonneuve. En outre, la croissance des grands réseaux ferroviaires accentue le rôle de Montréal comme centre névralgique du transport au Canada.

L'industrie manufacturière connaît aussi un essor sans précédent. Un grand nombre d'usines sont agrandies pour répondre à la demande croissante et de nouvelles sont aménagées — tels les ateliers Angus ou le chantier naval de Canadian Vickers —, souvent en banlieue où de vastes terrains sont disponibles. Quant au secteur financier, il est renforcé par le développement rapide du Canada. Les banques montréalaises continuent à exercer un leadership incontestable, malgré la croissance de leurs rivales torontoises. Le mouvement de concentration des grandes entreprises au pays, qui donne naissance à des sociétés telles Dominion Textile ou Montreal Light, Heat and Power, accroît l'importance de la Bourse de Montréal et des divers intervenants financiers.

Montréal joue alors pleinement son rôle de métropole du Canada. Ses établissements financiers, ses entreprises ferroviaires et ses grandes maisons de commerce s'engagent activement dans le développement de l'Ouest, qui se couvre de leurs succursales et qui constitue un marché pour les usines montréalaises. Ils sont aussi associés à l'exploitation des ressources naturelles et à l'expansion du secteur manufacturier au Québec et en Ontario.

Toute cette activité provoque d'importants réaménagements de l'espace dans l'agglomération. Le centre-ville se couvre de tours à bureaux qui abritent le siège social des grandes entreprises. La rue Saint-Jacques devient le lieu de pouvoir économique le plus important au Canada ; chaque banque y a son édifice distinctif doté de colonnes qui projettent une image de solidité.

La zone industrielle du canal de Lachine s'étend vers l'ouest, celle de Sainte-Marie-Hochelaga s'étire en direction de Maisonneuve et de Longue-Pointe, tandis que l'industrie du vêtement connaît une poussée vers le nord, dans l'axe de la rue Saint-Laurent.

Le phénomène le plus important est cependant la croissance extraordinaire de la banlieue, sous la pression de l'augmentation de la population. Le territoire urbanisé déborde largement les limites de la ville et plusieurs petites municipalités sont en plein essor. Les plus importantes sont Saint-Henri, Saint-Louis et Maisonneuve. Ce développement s'appuie sur une nouvelle technologie, celle du tramway électrique, introduite en 1892. Les lignes s'étendent dans toutes les directions ; elles favorisent les déplacements et permettent aux Montréalais d'habiter plus loin de leur lieu de travail. Montréal cherche à tirer son profit de cette expansion territoriale. Le mouvement d'annexion, amorcé entre 1883 et 1893, reprend avec plus de vigueur en 1905 et se poursuit jusqu'en 1918. Au total, Montréal procède à 33 annexions de territoires qui lui permettent d'intégrer 23 municipalités distinctes. Au bout du processus, elle aura multiplié par cinq son territoire de 1867.

Une société en mutation

La croissance de la population provoque des changements sociaux importants. C'est particulièrement le cas de la composition ethnique, résultat des mouvements migratoires. L'exode en provenance des campagnes québécoises permet aux Canadiens français de maintenir leurs positions à un peu plus de 60 % de la population. Les Montréalais d'origine britannique voient au contraire leur part diminuer, même si en chiffres absolus leurs effectifs augmentent : en 1901 ils forment encore le tiers de la population de la ville, mais en 1911 ils n'en sont plus que le quart.

Le grand changement est la montée des autres groupes ethniques. Au siècle précédent, ils représentaient moins de 2,5 % de la population de Montréal ; leur proportion dans la ville atteint 5 % en 1901 et près de 11 % en 1911. Plus de la moitié de leurs effectifs sont d'origine juive. Concentrée dans l'axe de la rue Saint-Laurent, la population juive, de langue et de culture yiddish, comprend surtout des ouvriers travaillant principalement dans l'industrie du vêtement et habitant à proximité des ateliers de confection. Elle dispose de nombreuses synagogues, d'organismes culturels et charitables et même d'un quotidien publié en yiddish ; elle reproduit ainsi à Montréal les organisations du *shtetl* lithuanien. L'autre groupe significatif est celui des Italiens, surtout employés aux travaux de construction, qui commencent à former un quartier distinctif dans le nord de la ville et qui ont déjà deux paroisses à leur service en 1910. S'y ajoutent quelques milliers d'autres Européens ainsi que quelques centaines de Chinois qui amorcent leur regroupement rue La Gauchetière. Ainsi Montréal commence à prendre l'allure d'une mosaïque ethnique, même si les groupes d'origines française ou britannique restent prédominants.

Les différences sociales continuent à être très marquées. La grande bourgeoisie d'origine britannique conserve sa position dominante. Considérablement enrichis par la prospérité de l'époque, ses membres mènent une vie luxueuse dans leurs grandes maisons du *Golden Square Mile* ou de Westmount. Des individus tels Cornelius Van Horne, Thomas Shaughnessy, Richard B. Angus, Vincent Meredith et Herbert Holt occupent alors le sommet de la hiérarchie sociale du Canada, et leurs décisions orientent le développement du pays tout entier.

De son côté, la bourgeoisie francophone poursuit l'ascension qu'elle a amorcée au cours du siècle précédent. La croissance économique lui fournit, à elle aussi, des occasions d'enrichissement et un train de vie supérieur. Même si certains de ses membres, tels Louis-Joseph Forget ou Frédéric-Liguori Béique, atteignent les hautes sphères du milieu financier canadien, son domaine reste surtout celui de la moyenne entreprise dont le marché est essentiellement montréalais ou québécois. Des hommes d'affaires tels Oscar Dufresne, Hormisdas Laporte, Trefflé Berthiaume et G.-N. Ducharme jouent un rôle économique et politique important à Montréal et dans la banlieue. Quant aux petits commerçants de quartier, ils se multiplient avec l'expansion de la population et du territoire.

La masse de la population continue toutefois à faire partie de la classe ouvrière. Les secteurs des manufactures, des transports et de la construction emploient la majorité de la main-d'œuvre. Les travailleurs qualifiés profitent eux aussi de la conjoncture favorable. Ils se joignent plus nombreux aux syndicats, presque tous affiliés aux unions internationales d'origine américaine, qui sont en plein essor. Ils s'intéressent plus activement à la politique, grâce au Parti ouvrier et à ses clubs ouvriers, un phénomène dont témoignent l'élection à la Chambre des communes, en 1906, du plombier Alphonse Verville, président du Congrès des métiers et du travail du Canada, et celle du charpentier Joseph Ainey, organisateur syndical, au Bureau des commissaires de la Ville en 1910. De leur côté, les journaliers et les ouvriers de manufactures, peu ou pas qualifiés, mènent une vie plus précaire caractérisée par les bas salaires, le chômage saisonnier et l'insécurité d'emploi. On voit aussi émerger le groupe des employés de bureau et des commis de magasins, qui bénéficient généralement d'un emploi plus stable. L'essor de ce groupe social sera cependant plus marqué après la guerre.

En milieu francophone, ainsi que chez les Irlandais et les Italiens, l'Église catholique reste une force sociale importante. Les paroisses se multiplient, au rythme de l'expansion du territoire et de la croissance de la population. Les communautés religieuses augmentent leurs effectifs et tentent de répondre à la demande croissante de services sociaux et d'éducation. L'Église fait face au défi d'une société urbaine devenue plus complexe et plus diversifiée, où les valeurs matérialistes gagnent en popularité.

L'évêque, Paul Bruchési, tente bien de résister aux nouvelles valeurs, de resserrer la morale et de censurer les journaux et les spectacles, mais cette réaction n'obtient que des succès mitigés. Pour conserver un certain contrôle social, l'Église doit plutôt miser sur des organisations nouvelles, telle l'École sociale populaire, qui visent à mieux conjuguer religion et société urbaine.

La vie en ville

Les différences sociales qui caractérisent la population de Montréal se reflètent évidemment dans les conditions de vie. Entre la grande résidence bourgeoise de la rue Sherbrooke et le petit logement de Griffintown ou du « faubourg à m'lasse », la distance est énorme. C'est tout l'environnement physique qui témoigne de ces écarts. D'un côté, les belles façades en pierre et les maisons spacieuses entourées d'arbres et de gazon. De l'autre, les maisons en rangées, couvertes de briques, mal éclairées, sans verdure, avec leurs ruelles boueuses et leurs cours encombrées de hangars.

Ce contraste doit cependant être nuancé. Le logement montréalais se présente dans une vaste gamme de situations. Globalement, même le logement ouvrier tend à s'améliorer. On n'y trouve pas d'entassement généralisé, comme dans certaines grandes villes de l'Europe ou des États-Unis. Les toilettes extérieures, encore nombreuses dans les années 1890, disparaissent à peu près complètement. Les nouvelles maisons, construites en grand nombre, répondent mieux aux critères du modernisme : toilettes intérieures, baignoire, cuisson au gaz, chauffage au charbon, éclairage à l'électricité. Ces transformations se font graduellement ; il y a encore beaucoup de logements vétustes et insalubres, ce que dénoncent régulièrement les apôtres des réformes sociales.

Le phénomène le plus important de la période qui nous occupe est d'ailleurs la prise de conscience, par les élites, des problèmes sociaux engendrés par l'urbanisation et l'industrialisation. Longtemps, on s'était contenté d'y répondre par la charité envers les démunis. Des voix de plus en plus nombreuses s'élèvent maintenant pour réclamer des réformes en profondeur. Elles donnent naissance à tout un courant de réformisme social, qui met sur pied un grand nombre d'organismes et s'attaque à plusieurs problèmes en même temps. Ses

Page ci-contre : Montréal en 1919. Le territoire urbanisé s'est considérablement étendu depuis le XIXe siècle. La carte montre les limites des quartiers (plusieurs ont été annexés récemment) et des principales municipalités de banlieue. (Archives nationales du Canada, NMC 11068)

Cité de Montreal
Comprenant
Westmount, St Laurent, Outremont
Verdun, Mount-Royal
Montreal-West, Montréal-Nord,
Montréal-Est et Pointe-aux-Trembles
1919
Montreal-Est et Pointe-aux-Trembles
Fleuve St Laurent
Prairies

interventions les plus énergiques, et ses plus beaux succès, concernent la santé.

Il faut dire qu'à la fin du XIXe siècle Montréal reste sur ce plan une ville dangereuse. Le taux de mortalité, en particulier la mortalité infantile, y est élevé, et plus d'un enfant sur quatre meurt avant d'atteindre l'âge d'un an. La situation est plus grave chez les Canadiens français que parmi les autres groupes. Les médecins, qui ont lancé précédemment une campagne en faveur de l'hygiène publique, l'intensifient au début du XXe siècle, avec l'appui d'un certain nombre d'hommes d'affaires ainsi que de femmes associées aux mouvements féministes et aux organismes de charité. Leur plus éminent porte-parole est le docteur Emmanuel-Persillier Lachapelle, fondateur de l'hôpital Notre-Dame et président du Conseil d'hygiène de la province de Québec.

Les efforts des hygiénistes portent en particulier sur l'eau, dont la mauvaise qualité en fait un vecteur de maladies. La simple addition de chlore, à partir de 1910, fait chuter le taux de mortalité. Quelques années plus tard, la filtration vient encore améliorer la qualité de l'eau distribuée à Montréal et en banlieue. Pour améliorer l'état de santé des enfants, deux hôpitaux spécialisés sont créés au début du siècle ; à compter de 1910, un réseau de dispensaires, les Gouttes de lait, est chargé de distribuer du lait pasteurisé et d'éduquer les familles en matière d'hygiène. On multiplie aussi les campagnes d'information qui visent en particulier les mères de famille. Les pressions des hygiénistes amènent la Ville à accroître le personnel et les activités d'inspection et de prévention de son Bureau de santé. À la veille de la guerre, il reste beaucoup à faire en matière de santé publique, mais le redressement est nettement amorcé et fera pleinement sentir ses effets pendant la période suivante.

Les inégalités sociales sont également visibles dans le secteur de l'éducation, où l'écart entre protestants et catholiques est très prononcé. Chacune des commissions scolaires se finançant principalement à partir de la taxe foncière perçue parmi les membres de leur confession religieuse, les ressources sont bien supérieures dans le secteur protestant, ce qui influe sur la qualité de l'équipement et sur le salaire des enseignants. La commission catholique, sous-financée, ne paie que de maigres salaires et ses écoles sont encombrées. L'augmentation considérable du nombre d'enfants aggrave la situation. Là aussi, des réformistes tentent d'intervenir pour améliorer la qualité des programmes, la formation des enseignants et la gestion des écoles. Ils se heurtent à la résistance de l'Église, qui voit l'éducation comme sa chasse gardée. Malgré tout, des réformes commencent à être introduites, mais leurs effets se feront sentir surtout après 1914.

Dans la foulée du mouvement réformiste, il faut aussi signaler la remise en question du rôle effacé et subalterne dévolu aux femmes. Au début du XXe siècle, Montréal est un important foyer du féminisme canadien. Au Montreal Local Council of Women, fondé en 1893 et qui s'adresse majoritairement aux anglophones, s'ajoute la Fédération nationale Saint-Jean-Baptiste, créée en 1907 pour rejoindre les francophones. Ces organisations luttent pour la reconnaissance des droits politiques et juridiques des femmes et pour leur accès aux études supérieures et aux professions libérales. Elles s'engagent très activement dans les mouvements de réforme sociale. Les figures de proue du féminisme montréalais sont Marie Gérin-Lajoie et Julia Drummond, mais bien d'autres femmes, appartenant surtout à des milieux aisés, s'y illustrent.

Si l'environnement social se transforme, il en est de même

pour l'environnement culturel. On voit émerger une véritable culture populaire francophone, typiquement montréalaise. Résolument urbaine, cette culture puise encore dans la tradition canadienne-française, mais elle s'alimente de plus en plus aux modèles américains. Le journal de masse joue un rôle déterminant dans cette affirmation culturelle. Les journaux populaires, surtout *La Presse* et *La Patrie*, rejoignent la majorité des foyers. Ils transmettent une vision moderniste de la société. Ils accordent aussi une place croissante à un phénomène qui devient une composante importante de la culture urbaine : le sport professionnel. Longtemps réservé aux amateurs fortunés, surtout anglophones, le sport est maintenant une affaire bien organisée, avec ses équipes, ses stades, ses vedettes et ses partisans. Le hockey gagne en popularité, au détriment de la crosse, et devient un véritable sport national.

Un autre élément de nouveauté est le cinéma, qui s'implante véritablement en 1906 avec l'ouverture du Ouimetoscope. Le septième art connaît un succès fulgurant auprès des masses et les salles se multiplient pour répondre aux besoins de divertissement de la population. Le cinéma n'est qu'un des éléments de la commercialisation accrue des loisirs populaires, qui se manifeste également avec l'ouverture de parcs d'attractions, en particulier le parc Dominion (1906).

Le développement des parcs municipaux favorise aussi les activités de loisir. Aux grands parcs — parc Mont-Royal, parc La Fontaine et île Sainte-Hélène — s'en ajoutent de nombreux autres, tandis que la municipalité ouvre ses premiers terrains de jeux pour les enfants.

Le début du siècle est également témoin d'une certaine effervescence dans le domaine de la culture d'élite. C'est le cas du théâtre, qui connaît un véritable âge d'or avec la mise sur pied de nombreuses troupes professionnelles. La vie littéraire s'anime, grâce aux réunions de l'École littéraire de Montréal. Les Montréalais profitent aussi de la mise sur pied d'un orchestre symphonique et d'une troupe d'opéra. Dans l'ensemble, cependant, la production culturelle montréalaise reste limitée et le public est surtout tributaire de spectacles étrangers en tournée et de littératures étrangères — française, britannique ou américaine.

Une scène politique fort animée

Les divisions sociales et ethniques qui caractérisent la métropole ne manquent pas de se refléter dans la vie politique. La lutte entre populistes et réformistes se poursuit et même s'intensifie. L'homme politique le plus populaire de Montréal, Raymond Préfontaine, accède à la mairie en 1898 et conserve ce poste jusqu'en 1902, date de sa retraite de la vie municipale. La machine politique qu'il a mise en place s'effondre toutefois à la suite des succès électoraux des réformistes, en 1898 et 1900. Ces derniers réussissent à attirer dans leurs rangs un certain nombre d'hommes d'affaires francophones dont le chef de file est Hormisdas Laporte, échevin à compter de 1897 et maire de 1904 à 1906. Laporte et son collègue Herbert Brown Ames, leader des réformistes anglophones, tentent d'assainir la situation financière de la Ville et d'améliorer les services qu'elle dispense, en particulier celui de l'hygiène. Ils s'attaquent aussi aux grandes entreprises qui exploitent des services publics : gaz, électricité, tramway et eau (dans les quartiers annexés). De nombreux citoyens, appuyés par certains journaux, reprochent à ces entreprises de ne pas offrir un service suffisant pour répondre aux besoins d'une population qui s'accroît rapidement et d'exiger des tarifs trop élevés qui leur procurent des profits fabuleux. Ces puissantes compagnies, qui appartiennent aux plus grands financiers de Montréal, jouissent d'une situation de monopole. Elles sont en mesure de résister aux assauts des critiques en s'assurant de solides appuis parmi les échevins et en acceptant de faire quelques concessions.

À partir de 1904, le mouvement réformiste s'essouffle. De nouveaux politiciens populistes, proches de leurs électeurs et bien implantés dans leur quartier respectif, émergent au conseil. L'annexion de plusieurs villes de banlieue entraîne d'ailleurs une augmentation du nombre de conseillers et rend plus complexe la gestion de la Ville. Le patronage refleurit à l'Hôtel de Ville. Cette situation provoque la renaissance du mouvement réformiste sous l'égide de la Chambre de commerce et du Board of Trade.

Les réformistes obtiennent en 1909 l'ouverture d'une enquête publique sur l'administration de Montréal, présidée par le juge L. J. Cannon. Le rapport de celui-ci met en lumière le régime de corruption et de favoritisme qui règne à Montréal et désigne nommément plusieurs conseillers. Cette enquête rend les citoyens plus sensibles aux arguments des réformistes.

Ceux-ci réclament par ailleurs une réorganisation du mode de gouvernement de la municipalité. Ils veulent limiter l'influence des politiciens de quartier, d'une part, en réduisant leur nombre au conseil et, d'autre part, en transférant une partie de leurs pouvoirs à un Bureau des commissaires élu par l'ensemble de la population. Ils espèrent ainsi éliminer le gaspillage et faire en sorte que la Ville soit gérée comme une entreprise. Cette réforme importante est approuvée par les électeurs par voie de référendum et entre en vigueur en 1910.

Aux élections de 1910, profitant du discrédit que l'enquête Cannon a jeté sur les politiciens en place, les réformistes font élire leurs candidats aux quatre sièges de commissaire et dans presque tous les quartiers. Commence alors le « régime des honnêtes gens », qui durera jusqu'en 1914. La nouvelle administration réussit à améliorer la gestion interne de la Ville et à réorganiser la fonction publique. Elle arrive mal cependant à répondre aux attentes de la population en matière d'équipements collectifs et de voirie. En adoptant une attitude plus bureaucratique, elle se montre peu attentive aux besoins des électeurs, ce qui explique la remontée de popularité des politiciens traditionnels à partir de 1914.

Entre 1896 et 1914, Montréal connaît donc une vigoureuse croissance, à la fois démographique, économique et territoriale. Forte d'un demi-million de personnes, la société montréalaise devient plus diversifiée, plus complexe et plus difficile à gouverner. Les inégalités y sont encore très présentes, mais l'action des groupes réformistes commence à porter fruit et favorise une certaine amélioration des conditions de vie. Montréal apparaît alors comme une ville animée et dynamique, un centre où se rencontrent les traditions françaises et britanniques, mais aussi l'influence américaine et l'apport des nouveaux immigrants.

chapitre 9

La grande ville nord-américaine 1914-1929

La Première Guerre mondiale, déclenchée en 1914, vient mettre un frein à la croissance soutenue que connaît Montréal depuis la fin du XIXe siècle. Commence alors une période difficile, qui se poursuit jusqu'au début de la décennie suivante. Les années 1920 permettent toutefois la reprise de l'expansion. Montréal atteint le million d'habitants et a les allures d'une grande ville nord-américaine.

La Première Guerre mondiale

Le ralentissement économique se fait sentir dès 1913, alors que s'effondrent les valeurs foncières, gonflées par une vive spéculation. Le chômage augmente et cette situation se prolonge au moins jusqu'en 1915. Le déclenchement de la guerre aggrave la situation. Les nouveaux investissements chutent de façon marquée, d'autant plus que la Grande-Bretagne, qui avait largement contribué à financer l'expansion canadienne au début du siècle, cesse d'exporter des capitaux afin de consacrer toutes ses ressources à l'effort de guerre. L'activité commerciale et industrielle est affectée par le freinage de la croissance.

La construction tourne alors au ralenti, ce qui provoque un arrêt momentané de l'expansion urbaine. La ville de Maisonneuve, importante municipalité de banlieue qui avait beaucoup investi en misant sur la poursuite de la croissance, croule sous le poids de sa dette et doit même emprunter pour en payer les intérêts, ce qui provoque son annexion à Montréal en 1918. La guerre entraîne d'ailleurs l'arrêt de l'immigration, qui avait contribué de façon significative à l'accroissement de la population. Certains immigrants de fraîche date, appelés sous les drapeaux, doivent même retourner dans leur pays d'origine.

À partir de 1915, l'économie reprend du poil de la bête. Les entreprises manufacturières profitent de plantureux contrats de guerre. Les travailleurs du port s'activent à acheminer vers la Grande-Bretagne des denrées agricoles et du matériel militaire. Les milliers d'hommes qui s'enrôlent laissent leur place à d'autres, dont un nombre croissant de femmes, de sorte que le chômage se résorbe. La guerre accélère toutefois l'inflation, ce qui affecte une grande proportion des travailleurs montréalais dont les salaires sont insuffisants.

La guerre a cependant surtout des conséquences politiques. Montréal prend alors l'allure d'une ville cassée en deux avec, d'un côté, les anglophones qui favorisent une participation totale et, de l'autre, les francophones qui s'y opposent. Chez les Anglo-Montréalais, le sentiment d'appartenance à l'Empire britannique s'est considérablement renforcé depuis le début du siècle, de sorte qu'ils sont très nombreux à s'enrôler avec enthousiasme pour aller au secours de leur mère patrie. Les grands hommes d'affaires prennent la tête d'organisations patriotiques et amassent des fonds considérables pour soutenir l'effort de guerre. Les Anglo-Montréalais paient très cher leur zèle. La guerre provoque une véritable hécatombe et un grand nombre de jeunes Montréalais y laissent leur vie ou reviennent des champs de bataille diminués par les gaz et les blessures.

À l'opposé, les francophones résistent à la participation, malgré l'intense propagande qui les incite à s'enrôler. Ils perçoivent ce conflit comme une affaire britannique qui ne les concerne pas. Depuis plus de quinze ans, les ténors du mouvement nationaliste, Henri Bourassa en tête, leur disent que le Canada n'a pas à participer aux guerres menées par l'Empire britannique. L'armée canadienne, dont la langue de communication est l'anglais, est d'ailleurs très peu accueillante pour eux. Le sort qui est réservé aux minorités françaises de l'Ontario et des autres provinces, dont les droits scolaires sont brimés, vient encore envenimer le climat des relations ethniques.

L'atmosphère tourne bientôt au vinaigre. La presse anglophone attaque ouvertement les Canadiens français qui, à ses yeux, ne font pas leur part. La décision du gouvernement fédéral, en 1917, d'imposer la conscription pour le service militaire provoque de vives réactions chez les francophones, massivement opposés à cette mesure. De grandes manifestations contre la conscription ont lieu dans la ville. Un petit groupe, dirigé par Élie Lalumière, a même recours au terrorisme, mais il est rapidement démantelé. Les tensions ethniques sont à leur comble.

L'opposition entre francophones et anglophones fait d'ailleurs partie depuis longtemps de la dynamique sociale de Montréal. En 1914, le populiste Médéric Martin l'exploite habilement lorsqu'il pose sa candidature à la mairie. Il se présente comme le candidat des ouvriers canadiens-français face aux riches hommes d'affaires anglophones, comme le défenseur des intérêts de l'est de la ville contre ceux de l'ouest. Les masses populaires francophones lui donnent une victoire éclatante. L'élection de Martin a d'ailleurs une signification symbolique considérable puisqu'elle met fin au principe de l'alternance d'un francophone et d'un anglophone à la mairie. À compter de 1914, tous les maires de Montréal seront des francophones.

Un ajustement douloureux

La fin de la guerre, en 1918, marque le début d'un ajustement douloureux. La conversion à une économie de paix ne va pas sans mal et la production manufacturière tourne au ralenti. Le retour au pays des soldats démobilisés bouleverse le marché du travail. L'inflation, qui a atteint pendant le conflit un niveau inquiétant (18 % en 1917), continue à faire des ravages une fois la paix revenue. Un tel contexte engendre inévitablement des tensions sociales, qui culminent en 1919. Cette année-là, Montréal connaît un nombre record de grèves. L'année 1919 est d'ailleurs inscrite de façon exceptionnelle dans les annales syndicales du pays à cause de la célèbre Grève générale de Winnipeg.

Cette période d'ajustements débouche sur une grave crise économique, de 1920 à 1922. L'inflation est alors stoppée net et les prix dégringolent, mais le chômage augmente de façon dramatique. Les organisations privées aidant les démunis sont débordées, ce qui amène le gouvernement québécois à faire adopter la Loi de l'Assistance publique en 1921.

Les difficultés économiques affectent en particulier l'un des secteurs clés de l'économie canadienne, celui des chemins de fer, qui avait été un moteur des investissements avant la guerre. Le gouvernement fédéral doit étatiser, entre 1917 et 1922, le Canadien-Nord et le Grand Tronc, puis les intégrer dans les Chemins de fer nationaux. Heureusement pour Montréal, la métropole abrite le siège social de la nouvelle entreprise et conserve son rôle de centre névralgique du transport ferroviaire, puisque les deux grands réseaux, Canadien Pacifique et Canadien National, y ont leur tête dirigeante.

Les tensions de l'après-guerre se manifestent aussi sur la scène politique municipale. L'élection de Médéric Martin à la mairie a consacré l'échec des réformistes, qui avaient pris le pouvoir en 1910. Les milieux d'affaires ne s'estiment pas battus pour autant et réclament l'intervention du gouvernement pour réformer l'administration. L'expansion rapide au début du siècle et les nombreuses annexions, en particulier celle de Maisonneuve en 1918, ont imposé à la Ville un lourd fardeau financier qui inquiète les banques.

En 1918, le gouvernement québécois réagit à ces pressions en imposant à Montréal une véritable mise en tutelle. Le Bureau des commissaires est aboli et remplacé par une Commission administrative de cinq membres, tous nommés par le gouvernement. Celle-ci a la haute main sur la gestion de la Ville, et les élus municipaux voient leur rôle et leur pouvoir considérablement réduits. Les politiciens montréalais dénoncent avec véhémence cette attaque contre l'autonomie municipale qui leur enlève leur contrôle sur le patronage. N'ayant pas de comptes à rendre aux électeurs, les commissaires entreprennent d'assainir les finances municipales et de réformer l'administration. Ils deviennent vite impopulaires, ce qui forcera le gouvernement à mettre fin à leur mandat en 1921.

La reprise de la croissance

Une fois la crise de 1920-1922 passée, Montréal retrouve le sentier de la croissance. Entre 1921 et 1931, la population de la ville passe de 619 000 à 819 000, tandis qu'à la fin de la décennie celle de l'île tout entière atteint le million d'habitants.

Cette reprise s'appuie évidemment sur un apport extérieur. Comme avant la guerre, l'exode des campagnes du Québec fournit son contingent à la ville et de nombreux anglophones des autres provinces du pays sont attirés vers la métropole en expansion.

Montréal profite en outre d'une nouvelle vague d'immigration qui, bien que moins forte que celle du début du siècle, en conserve tout de même les caractéristiques : les principaux contingents viennent soit de la Grande-Bretagne, soit de l'Europe de l'Est et du Sud.

L'augmentation de la population entraîne évidemment la relance de l'urbanisation du territoire. Celle-ci se fait maintenant surtout à l'intérieur des limites de la ville, puisque Montréal a annexé la plupart de ses municipalités de banlieue et qu'elle dispose de vastes territoires à développer. Les quartiers de Notre-Dame-de-Grâce et de Villeray en particulier se couvrent de milliers de nouvelles habitations. Le réseau de tramways permet de transporter efficacement les travailleurs de leur résidence vers leur lieu de travail et les ménagères vers les rues commerçantes, principalement la rue Sainte-Catherine, haut lieu du magasinage montréalais.

La relance de la construction ne touche pas seulement le secteur résidentiel. On met en chantier plusieurs établissements d'enseignement ainsi que des hôpitaux, mais aussi de nombreux immeubles à usage commercial et industriel. Le centre-ville poursuit sa transformation avec l'érection de nouveaux gratte-ciel qui reflètent les modèles architecturaux américains et transforment le paysage. L'époque victorienne est bel et bien terminée et Montréal prend résolument les allures d'une grande ville nord-américaine. Le centre-ville ne se limite d'ailleurs plus au Vieux-Montréal et déborde maintenant dans l'axe de la rue Sainte-Catherine, entre le square Phillips et le square Dominion, où les grands magasins avoisinent les nouvelles tours à bureaux.

Le centre-ville témoigne de la puissance économique, et surtout financière, de la ville. Montréal est toujours la métropole du Canada, bien qu'elle doive partager de plus en plus ce titre avec Toronto, qui est la principale bénéficiaire des importants investissements américains au Canada, en particulier dans l'industrie de l'automobile et dans le secteur minier, et qui gruge graduellement l'avance montréalaise.

Les années 1920 sont caractérisées par une accélération de la concentration financière. Des sociétés telles la Banque de Montréal, la Banque Royale, Sun Life et Bell Téléphone prennent l'allure de géants. Le mouvement de concentration touche aussi de nombreuses entreprises manufacturières et commerciales. Dans ce contexte, les entrepreneurs francophones occupent une place plus marginale et restent pour la plupart confinés dans les petites et moyennes entreprises.

Les grandes entreprises doivent compter sur un personnel de gestion de plus en plus nombreux, travaillant dans les bureaux du centre-ville. Les années 1920 voient ainsi émerger un groupe social nouveau, celui des cols blancs, qui atteint une importance inconnue jusque-là. Les milliers de commis, de secrétaires, de téléphonistes et de comptables transforment le milieu du travail montréalais, auparavant caractérisé par son importante population ouvrière. Les autres services — magasins de toutes sortes, transports, enseignement, services personnels — voient aussi leurs effectifs s'accroître de façon appréciable.

Les années 1920 sont également marquées par l'essor de la classe moyenne, qui comprend non seulement les membres des professions libérales et les petits commerçants de quartier, mais aussi un nombre croissant de travailleurs autonomes — tels les agents d'assurances — et de cadres des administrations publiques et privées. Tous profitent de la prospérité retrouvée.

Une vie meilleure

Les conditions de vie connaissent d'ailleurs un net progrès au cours de cette décennie. Bien sûr, un grand nombre de Montréalais doivent encore se contenter de salaires modiques et composer avec le chômage saisonnier. Leur consommation est limitée et ils ne peuvent guère se payer que le strict nécessaire. Malgré la précarité de leur situation, ils profitent eux aussi de la prospérité, qui assure des emplois plus stables, et de l'amélioration générale des conditions d'existence.

Le signe le plus évident de cette amélioration est le recul de la mortalité, en particulier de la mortalité infantile, résultat des mesures de santé publique mises en place depuis le début du siècle. Certes, Montréal affiche encore en ce domaine un taux plus élevé que ceux des autres grandes villes nord-américaines, mais que de progrès accomplis depuis la fin du XIXe siècle, où plus d'un enfant sur quatre n'atteignait même pas l'âge d'un an ! Dans la deuxième moitié des années 1920, 86 % des nouveau-nés passent le cap du premier anniversaire. Malgré le recul des maladies infectieuses, la tuberculose continue à faire des ravages et frappe plus durement les milieux défavorisés.

Les conditions de logement continuent aussi à s'améliorer. À la fin de la décennie, la quasi-totalité des foyers sont dotés de l'électricité, alors que seulement le quart profitaient de ce service en 1914. La construction de milliers d'habitations modernes au cours des années 1920 contribue à hausser la qualité du stock de logements.

On enregistre en outre des progrès notables en matière d'éducation, même si les francophones accusent toujours du retard par rapport aux anglo-protestants. De plus en plus d'enfants se rendent jusqu'à la sixième année et la CÉCM crée le cours secondaire, qui n'est fréquenté toutefois que par une minorité de jeunes. L'enseignement professionnel connaît une popularité accrue, tandis que de nouveaux collèges classiques ouvrent leurs portes.

Au niveau supérieur, la grande nouveauté est la création en 1920 de l'Université de Montréal, qui obtient enfin son autonomie et cesse d'être une succursale de l'Université Laval. Cela lui permet de recueillir plus facilement les dons et de mettre en chantier un nouveau bâtiment, conçu par l'architecte Ernest Cormier et situé sur le mont Royal. Elle est aussi en mesure de créer de nouvelles facultés. En quelques années, l'Université de Montréal devient le principal foyer intellectuel francophone dans la métropole. Elle est au cœur de l'éveil scientifique qui se manifeste autour du frère Marie-Victorin. Ses professeurs, tels Lionel Groulx et Édouard Montpetit, acquièrent une grande notoriété.

L'essor intellectuel francophone des années 1920 s'abreuve encore beaucoup à la source française, mais en milieu populaire c'est surtout la culture américaine qui fait sentir sa présence. Le phénomène n'est pas nouveau, mais il prend de l'ampleur. L'une des formes de divertissement les plus populaires, le spectacle burlesque, est d'origine américaine et est adaptée en français par des artistes montréalais. Le cinéma, qui gagne aussi en popularité, est dominé par les entreprises de distribution des États-Unis qui présentent essentiellement des produits américains. La radio naissante alimente sa programmation avec les émissions des voisins du sud, tandis que les Montréalais apprennent avec enthousiasme à danser le charleston. Le rayonnement des États-Unis touche d'ailleurs le mode de vie de façon globale. Les automobiles de Ford et de General Motors, la gomme Chiclets, le Coca-Cola et tant d'autres produits américains, dont plusieurs sont fabriqués au Canada par des filiales, deviennent des symboles du modernisme.

Dans l'univers culturel anglophone, l'influence britannique reste très forte, en particulier à l'Université McGill, mais là aussi la présence américaine se fait de plus en plus sentir, tandis que quelques intellectuels tentent de faire entendre une voix plus spécifiquement canadienne. Le groupe allophone le plus important, celui des Juifs originaires de l'Europe de l'Est, a lui aussi une dynamique culturelle propre, qui s'appuie encore fortement sur la langue yiddish et sur les traditions juives et européennes, résultat du poids des immigrants de fraîche date.

Sur le plan culturel et social, Montréal devient donc une société très animée au cours des années 1920. Un phénomène important est certainement la transformation sensible de la société canadienne-française, qui profite de l'amélioration du niveau de vie et affiche une culture propre, aux accents plus urbains et plus nord-américains que celle du reste du Québec. Les Canadiens français cherchent à s'affirmer face à la domination exercée par les Canadiens anglais. Un nouveau nationalisme, plus québécois qu'au début du siècle, prend racine à Montréal autour de ce maître à penser qu'est le prêtre-historien Lionel Groulx. De son côté, la Société Saint-Jean-Baptiste cherche à stimuler la fierté nationale en renouant avec la tradition des défilés de la Saint-Jean et en faisant ériger une croix sur le mont Royal (1924).

Les francophones dominent maintenant de façon très nette la politique municipale. Montréal retrouve son autonomie en 1921, année où la Commission administrative est abolie et où les élus reprennent les rênes du pouvoir. La Ville est désormais administrée par un Comité exécutif dont les membres sont choisis par et parmi les conseillers municipaux. Le maire n'a plus qu'un rôle symbolique, mais il jouit encore d'un grand prestige. Médéric Martin occupe cette charge depuis 1914. Défait aux élections de 1924, il retrouve son poste deux ans plus tard. En 1928, il est battu par un autre politicien populiste, Camillien Houde, qui marquera de sa forte personnalité les deux décennies suivantes.

La période des années 1920 fait donc entrevoir l'espoir d'une vie meilleure pour les Montréalais, en particulier pour les francophones. Elle se termine toutefois dans une spéculation effrénée à l'issue de laquelle le réveil sera particulièrement douloureux.

chapitre 10

Crise et guerre 1930-1945

À compter de 1930, Montréal vit une période de perturbations qui dure une quinzaine d'années. La crise économique vient brusquement mettre fin aux espoirs de la décennie précédente et plonge la ville dans un profond marasme qui affecte à des degrés divers l'ensemble de la population. À cette crise qui n'en finit plus de finir succède la Seconde Guerre mondiale ; celle-ci ramène la prospérité, mais elle n'en représente pas moins un moment d'exception qui retarde encore le retour à la normale.

La dépression

Le krach d'octobre 1929 marque le début officiel de la crise, mais celle-ci était en germe dans les excès des années 1920. De 1930 à 1933, l'économie subit une dégringolade rapide, après quoi la reprise se dessinera avec une lenteur désespérante. Montréal est particulièrement touchée : au plus fort de la dépression, entre le quart et le tiers de sa main-d'œuvre est en chômage.

Étant donné qu'elle joue un rôle important dans le commerce international des matières premières du Canada, Montréal est frappée de plein fouet par le marasme qui affecte ce secteur à l'échelle mondiale. Les industries qui en dépendent, comme la construction de matériel ferroviaire, sont au point mort. Par ricochet, les autres secteurs de l'économie sont atteints à leur tour à des degrés divers. La grande proportion des travailleurs à salaire modique dans la main-d'œuvre montréalaise rend aussi la ville très vulnérable à un chômage prolongé. N'ayant pas pu accumuler d'épargne, ces gens sont vite à bout de ressources et ne peuvent pas contribuer à la relance de la consommation.

Par conséquent, la croissance urbaine piétine. La population de l'île (1 117 000 en 1941) n'augmente que de 113 000 habitants au cours de la décennie et celle de la ville proprement dite (903 000 en 1941) en gagne moins de 85 000. L'immigration s'arrête à peu près complètement et certains immigrants arrivés dans les années 1920 choisissent même de retourner dans leur pays d'origine. L'exode rural est lui aussi interrompu : les fils et les filles de cultivateurs n'ont aucun intérêt à venir dans une ville qui n'a à leur offrir que la perspective de la misère, et de nombreux autres préfèrent retourner à la ferme où ils peuvent au moins trouver à se nourrir. Quant aux Montréalais, ils ont tendance, vu le contexte économique, à retarder leur mariage et à avoir moins d'enfants.

Dans ces circonstances, l'activité de construction est très faible. Or elle représente 8 % de la main-d'œuvre, sans compter les activités connexes de fabrication et de vente de matériaux. Il se construit très peu de nouvelles maisons pendant la crise et les logements existants se détériorent puisque les propriétaires, qui ont du mal à percevoir les loyers et qui souvent perdent carrément leur propriété, n'ont guère intérêt à investir dans les réparations.

On assiste donc à une détérioration des conditions de vie. À cause du chômage, de nombreuses familles ouvrières doivent se trouver des logements moins coûteux et réduire au strict minimum leur consommation d'aliments et surtout leurs achats de vêtements et de meubles.

Les sociétés de charité, telle la Saint-Vincent-de-Paul, qui s'occupent traditionnellement de l'aide aux démunis, sont rapidement débordées par l'ampleur de la misère qui sévit à Montréal. À compter de 1930, les gouvernements doivent intervenir. Ils choisissent d'abord de faire distribuer l'aide directe aux travailleurs par les organismes de charité, mais à partir de 1933 la Ville prend elle-même en mains la distribution du « secours direct » en créant la Commission du chômage. En outre, la Ville réalise des programmes de travaux publics — construction de viaducs et d'édifices publics, aménagement de parcs — qui sont financés en partie par les gouvernements fédéral et provincial et qui emploient quelques milliers de chômeurs. C'est ainsi que sont construits, par exemple, le Jardin botanique et le chalet de la montagne, ou encore ces toilettes publiques (vespasiennes) que les Montréalais appellent par dérision « camilliennes », en référence au prénom du maire Houde.

Une société ébranlée

L'insécurité et la pauvreté caractérisent donc les années 1930. Ceux qui conservent leur emploi subissent des baisses de salaire et vivent constamment dans l'incertitude du lendemain, ce qui ne les incite guère à consommer. Les francophones sont plus durement touchés que les anglophones parce qu'ils disposent généralement de ressources moindres et qu'ils sont plus nombreux dans les secteurs de la construction et du transport. Les ouvriers sont aussi plus affectés que les travailleurs des services — tels les enseignants et les fonctionnaires — qui, même si leur salaire est peu élevé, ont un travail stable. La classe moyenne, qui avait bénéficié de la prospérité des années 1920, subit durement les contrecoups de la crise, en particulier chez les francophones. La clientèle des petits commerçants et des professionnels arrive mal à payer ses factures d'alimentation et réduit sa consommation de services. Pour beaucoup, les années 1930 sont synonymes de déchéance sociale et même de faillite.

C'est l'époque des rêves brisés. Les espoirs d'une vie meilleure que les années 1920 avaient éveillés s'envolent rapidement. De nombreux jeunes doivent abandonner des études prometteuses, de nombreux couples, remettre à plus tard leurs projets de mariage. La crise provoque un fort rétrécissement des aspirations. La chanteuse la plus populaire des années 1930, La Bolduc, exprime bien dans ses « turlutes » le désarroi d'une génération.

Certains trouvent un espoir dans la religion. Les épreuves provoquent en divers milieux un sursaut de ferveur religieuse. Ainsi, l'oratoire Saint-Joseph attire des foules nombreuses. Les pèlerins s'y précipitent, en quête d'un miracle. En 1937, la mort de son fondateur, le frère André, suscite une grande émotion populaire et des centaines de milliers de Montréalais viennent lui rendre un dernier hommage.

L'Église a, elle aussi, ses difficultés. Ses organismes de charité arrivent mal à répondre adéquatement à la forte demande des démunis. Ils doivent vivre avec des ressources réduites tandis que les besoins vont croissant. La situation est aggravée par le fait que des communautés religieuses et certaines paroisses, victimes de mauvais placements dont la valeur a été fortement entamée par le krach, sont en posture financière précaire. Des membres du clergé interviennent tout de même dans les débats publics et tentent de proposer des solutions à cette crise interminable. C'est le cas de l'École sociale populaire, dirigée par le jésuite Joseph-Papin Archambault, qui présente en 1933 son Programme de restauration sociale.

La crise provoque aussi un véritable réveil du mouvement nationaliste. Le prêtre-historien Lionel Groulx, son chef de file, inspire toute une génération de jeunes nationalistes, tels André Laurendeau et Paul Gouin, qui feront leur marque en politique. La création du mouvement Jeune-Canada, en 1932, exprime la frustration de la jeunesse envers une société qui semble avoir peu à lui offrir et elle canalise les revendications en faveur des francophones et contre leur exploitation par de grands monopoles contrôlés par des Canadiens anglais.

Les difficultés économiques avivent d'ailleurs les tensions ethniques dans une ville où les divisions linguistiques recouvrent souvent des clivages sociaux. La rivalité traditionnelle entre Canadiens français et Canadiens anglais se manifeste de nombreuses façons, à propos d'une nomination politique, de la répartition des fonds publics ou d'une foule d'autres sujets. Par exemple, la seule nomination du premier francophone à la présidence de la Commission du port provoque l'ire de la presse de langue anglaise, qui estime que ce poste revient de droit à un Canadien anglais, tandis que le choix d'un anglophone unilingue pour occuper un poste de direction au service des douanes à Montréal est perçu dans la presse francophone comme un geste de mépris à l'endroit des Canadiens français.

Un autre type d'intolérance s'exprime aussi plus ouvertement dans l'attitude envers les Juifs. Les années 1930 sont marquées par une importante recrudescence de l'antisémitisme dans les pays occidentaux. Ce phénomène est présent à Montréal : discrimination cachée mais réelle dans les organisations anglophones, déclarations antisémites de certains leaders francophones, attaques contre des commerces juifs. Il ne conduit cependant pas à la violence généralisée qui caractérise alors de nombreux pays européens. Il est aussi tempéré par l'ouverture d'esprit d'une partie de la presse et de la population ainsi que par la coopération entre groupes ethniques qui se manifeste dans le monde syndical.

L'antisémitisme n'est que l'une des manifestations du climat social troublé qui caractérise Montréal pendant les années 1930. En témoigne le foisonnement d'idées et de mouvements qui, de l'extrême gauche à l'extrême droite, se répand dans la ville. Malgré des effectifs restreints, les communistes gagnent du terrain et réussissent à propager leur message au moyen d'assemblées et de publications et à organiser des groupes de chômeurs et d'ouvriers. Les socialistes font aussi entendre leur voix et se donnent un meilleur encadrement politique avec la création du CCF, en 1933. Les deux groupes sont surtout actifs au sein de la population d'origine juive, déjà sensibilisée en Europe aux idées de gauche, et chez les intellectuels canadiens-anglais. C'est d'ailleurs dans une circonscription du quartier juif que sera élu, en 1943, le seul député communiste de Montréal, Fred Rose. C'est aussi dans le milieu communiste montréalais que le célèbre docteur Norman Bethune amorce la réflexion personnelle qui le mènera en Espagne, puis en Chine. Les partis de gauche arrivent mal à percer en milieu francophone, dont ils ne comprennent guère la spécificité et les aspirations, et où ils se heurtent à l'opposition farouche de l'Église catholique, en particulier dans le cas des communistes.

À l'autre bout de l'échiquier politique se trouvent les fascistes, qui gagnent des adeptes au sein d'une partie de la population d'origine italienne, et un groupe d'inspiration nazie animé par le journaliste Adrien Arcand. Dans les deux cas, il s'agit d'organisations assez marginales, qui attirent toutefois l'attention par leurs interventions tapageuses.

En milieu francophone, les réactions à la crise viennent surtout des milieux nationalistes et du groupe de l'École sociale populaire. Ceux-ci proposent une approche chrétienne des problèmes sociaux, s'inspirant des encycliques du pape. Ils transmettent une vision traditionaliste de la nation canadienne-française, mais ils explorent aussi des solutions nouvelles, en particulier en faisant campagne pour l'étatisation des services publics, notamment l'électricité.

La Ville en difficulté

Les secousses qui ébranlent la société montréalaise se manifestent aussi sur la scène politique. À tous les niveaux, les électeurs expriment leur mécontentement en changeant les gouvernements en place. À l'échelon municipal, la carrière mouvementée d'un Camillien Houde en témoigne. Maire depuis 1928, il est défait aux élections de 1932 par Fernand Rinfret. Il reprend son poste en 1934, pour le perdre à nouveau en 1936, cette fois au bénéfice d'Adhémar Raynault. Mais Houde ne lâche pas et conquiert à nouveau la mairie en 1938.

Camillien Houde poursuit la tradition des politiciens populistes en prenant fait et cause pour le petit peuple et pour les francophones. Comme les autres populistes avant lui, il se heurte à l'opposition des élites et surtout de l'establishment anglophone du milieu des affaires. La gestion de la Ville est encore une fois au cœur des débats.

Il faut dire que la crise malmène durement les finances municipales. Montréal doit payer une part importante de l'aide aux chômeurs. Or ses recettes ordinaires sont insuffisantes pour faire face à ce fardeau supplémentaire et elle doit systématiquement recourir à des emprunts. En effet, la taxe foncière est depuis longtemps trop faible pour les besoins d'une ville de la taille de Montréal, dont la croissance a été rapide depuis le début du siècle. Les organisations religieuses, éducatives et sociales en sont exemptées, tout en bénéficiant des services municipaux. Pendant la crise, la perception des taxes devient beaucoup plus difficile et la valeur des propriétés chute. Le fardeau de la dette a donc tendance à s'alourdir.

Les milieux d'affaires attribuent cette situation à la mauvaise gestion des politiciens et au coût du patronage ; ils réclament une réduction des dépenses. De son côté, Houde y voit plutôt le résultat du coût élevé de l'aide aux sans-emploi. Il prend la défense des chômeurs et refuse de réduire l'aide déjà maigre qui leur est accordée. Il cherche à obtenir une participation financière accrue des gouvernements supérieurs, mais sans succès. Il doit donc se résoudre, en 1935, à proposer l'imposition de nouvelles taxes dont, pour la première fois dans l'histoire du Québec, une taxe de vente. Malgré cela, la situation financière de la municipalité reste précaire jusqu'à la fin de la décennie.

En 1940, la Ville est incapable de rembourser des emprunts

venus à échéance parce que les banques refusent de lui avancer de nouveaux fonds. C'est pour elles un moyen de faire pression sur le gouvernement provincial afin que celui-ci modifie le mode de gestion de la municipalité. Montréal est alors placée sous la tutelle de la Commission municipale et le restera jusqu'en 1944. En outre, le conseil municipal est complètement transformé. Il sera désormais composé de trois catégories de conseillers, disposant chacune du tiers des sièges. Les conseillers de la classe A sont élus par les seuls propriétaires, ceux de la classe B par les propriétaires et les locataires ensemble, et ceux de la classe C sont nommés par des organismes patronaux, syndicaux et universitaires. Cette réforme d'importance a pour effet d'enlever le pouvoir aux populistes et d'accroître de façon notable le poids des propriétaires, des milieux d'affaires et des anglophones.

La Seconde Guerre mondiale

En 1940, le contexte économique est déjà transformé, car le Canada est en guerre. Le second conflit mondial (1939-1945) a d'ailleurs, à Montréal tout comme au Canada en général, un impact beaucoup plus considérable que celui de la guerre de 1914-1918.

Les usines montréalaises, qui tournaient encore au ralenti à la fin des années 1930, doivent maintenant produire à plein régime pour répondre à la demande pressante d'une économie totalement orientée vers l'effort de guerre et la satisfaction des besoins des Alliés. Des usines de munitions sont érigées, une toute nouvelle avionnerie est construite à Saint-Laurent pour la société Canadair. Les chantiers navals de Canadian Vickers, tout comme les ateliers Angus du Canadien Pacifique, fabriquent de façon intensive du matériel militaire. Au total, l'industrie lourde de la métropole connaît une forte croissance. Raoul Blanchard a calculé que 38 % de la main-d'œuvre manufacturière de l'agglomération est alors employée dans les secteurs du travail des métaux et de la fabrication de matériel de transport et d'appareils électriques.

L'industrie légère profite elle aussi de la conjoncture favorable. Elle produit en priorité du tissu kaki ainsi que des bottes et des uniformes pour les militaires. Sa production civile est en outre stimulée par la reprise de la demande des consommateurs.

Car la guerre ramène la prospérité à Montréal et met fin aux douloureuses années de crise. Au chômage élevé succède bientôt le plein-emploi. Les travailleurs jouissent d'un travail stable, d'un bon salaire et de la possibilité de faire des heures supplémentaires. On assiste donc à une hausse marquée du revenu de la population. Même la municipalité en profite. Les dépenses découlant de l'aide aux chômeurs disparaissent et les citoyens sont en mesure de payer leurs taxes, ce qui permet un rétablissement rapide de la situation financière de la Ville, sous la tutelle de la Commission municipale.

Cependant la guerre ramène à nouveau sur le tapis la question de la participation militaire. Les Canadiens français s'enrôlent en plus grand nombre que pendant le conflit précédent, mais leur taux de participation reste proportionnellement inférieur à celui des Canadiens anglais, ce qui suscite, comme en 1914-1918, de vives tensions ethniques. Le maire Camillien Houde, qui en 1940 s'oppose publiquement à « l'enregistrement national » obligatoire, est aussitôt arrêté et envoyé dans un camp d'internement, d'où il ne sortira qu'en 1944.

La question de la conscription pour service outre-mer est encore une fois au centre des débats. La majorité des francophones y sont opposés tandis que l'opinion publique anglophone la réclame. En 1942, le gouvernement fédéral organise un plébiscite visant à le libérer de sa promesse de ne pas imposer la conscription. Les nationalistes de Montréal — ayant à leur tête des gens comme Maxime Raymond et André Laurendeau — sont au cœur de la résistance et jouent un rôle déterminant dans l'organisation de la Ligue pour la défense du Canada. De nombreuses assemblées publiques du camp du « non » ont lieu à Montréal. En fin de compte, les francophones rejettent massivement la proposition fédérale, mais celle-ci reçoit un appui considérable dans le reste du Canada. La conscription pour service outre-mer sera finalement imposée en 1944, mais sans que cette mesure provoque de manifestations de violence comme en 1917.

Il se peut que les Montréalais acceptent mieux ce prix à payer pour une guerre qui leur apporte la prospérité. Il faut dire aussi que la propagande gouvernementale est intensive et convainc probablement bon nombre de citoyens de l'importance du conflit. La radio constitue un instrument privilégié de cette propagande. Au cours des années 1930, la radio était devenue un véritable média de masse et, malgré la crise, avait profondément pénétré dans les foyers montréalais (85 % d'entre eux ont un appareil en 1941). D'abord un moyen de divertissement, avec la diffusion de musique et de radio-romans fort populaires, elle devient aussi un instrument d'éducation. Pendant la guerre, elle fait beaucoup plus de place aux nouvelles et contribue à éveiller les Montréalais aux réalités internationales.

L'ouverture au monde n'est qu'un des aspects des transformations sociales qui se produisent à la faveur de la guerre. Il faut souligner l'importance accrue que prend la participation des femmes au marché du travail. L'industrie de guerre leur offre des emplois mieux payés que ceux qu'elles occupaient traditionnellement. D'ailleurs, toutes les femmes, et en particulier les ménagères, sont invitées à participer à leur façon à l'effort de guerre, en faisant de la récupération, en logeant des chambreurs ou en pratiquant le bénévolat.

La guerre entraîne en outre l'imposition du rationnement pour de nombreux produits. Pour la masse des travailleurs montréalais, c'est une mesure qui n'est pas trop difficile à supporter, après les privations de la crise. La nourriture est plus abondante et les restrictions touchent surtout les biens durables. Ayant de meilleurs revenus mais ne pouvant les dépenser entièrement à cause du rationnement, les Montréalais accumulent d'importantes épargnes qui contribueront à stimuler l'économie durant l'après-guerre.

Là où la situation devient plus dramatique, c'est dans le domaine de l'habitation. L'arrêt de la construction pendant la crise avait commencé à poser de graves problèmes à la fin des années 1930, alors que la quantité de logements était devenue insuffisante pour répondre à la demande. La situation s'aggrave pendant la guerre, car les matériaux sont d'abord destinés à des usages militaires. Une importante crise du logement se manifeste alors. Elle sera un facteur déterminant de l'explosion de l'urbanisation après 1945.

chapitre 11

L'émergence de la ville moderne 1945-1960

Dans l'après-guerre, Montréal connaît une formidable poussée de croissance de sa population, de son économie et de son territoire. L'époque est au rattrapage, après les privations de la crise et de la guerre. Elle est aussi marquée par un fort besoin de modernisation qui s'exprime dans une foule de domaines.

L'expansion

La croissance rapide de l'après-guerre se manifeste d'abord dans les chiffres. Entre 1941 et 1961, l'agglomération montréalaise gagne près d'un million d'habitants, passant de 1 140 000 à 2 110 000. La ville elle-même atteint le cap du million d'habitants en 1951, mais c'est surtout la banlieue qui profite de l'accroissement démographique.

Celui-ci s'explique d'abord par une remontée notable des naissances, le baby-boom. Montréal est, dans les années 1950, une ville pleine d'enfants qui envahissent ses rues, ses ruelles, ses parcs et ses écoles. Vient ensuite la reprise de l'immigration, pratiquement interrompue depuis quinze ans, qui est alimentée par les difficultés économiques de plusieurs régions européennes à la suite de la guerre. La nouvelle vague migratoire amène d'abord dans la ville des Britanniques et des réfugiés européens, puis de forts contingents d'Italiens et de Grecs. Par ailleurs, l'exode rural reprend son mouvement séculaire, ralenti par la crise, et procure à Montréal des centaines de milliers de nouveaux résidants originaires de toutes les parties du Québec.

Tous ces migrants sont évidemment attirés par les perspectives d'emploi qu'offre Montréal. Ils ne sont pas déçus, car la croissance économique est remarquable dans les années de l'après-guerre. L'industrie manufacturière sort considérablement renforcée du second conflit mondial. La forte demande des consommateurs, une fois la paix revenue, lui permet d'accroître substantiellement sa production et ses investissements. De son côté, la construction, tant commerciale que résidentielle, atteint un niveau record.

La croissance des emplois est encore plus spectaculaire dans le domaine des services, qu'il s'agisse des services financiers, du commerce de détail, des transports, de l'enseignement, des soins de santé ou des services personnels. Il y a du travail pour tous, Montréalais de naissance ou immigrants, et le taux de chômage est très bas, du moins jusqu'à la crise de 1957.

L'essor économique de Montréal est porté par celui de tout le Canada, dont la ville est encore officiellement la métropole. Celle-ci est cependant en voie d'être dépassée par Toronto, qui est favorisée par le déferlement des investissements américains et dont la croissance est encore plus rapide.

Depuis les années 1930, la valeur des transactions boursières est plus élevée à Toronto. Plusieurs compagnies d'assurance qui avaient leur siège social à Montréal le déménagent à Toronto. Tous les indicateurs économiques montrent qu'en 1960 Toronto dépasse Montréal et devient la nouvelle métropole financière du Canada. Les Montréalais mettent un certain temps à s'en rendre compte.

Le retour à la prospérité, amorcé pendant la guerre, prend tout son sens dans l'après-guerre. Les salaires montent beaucoup plus vite que l'inflation, de sorte que le pouvoir d'achat augmente. De plus en plus de Montréalais peuvent maintenant se payer des biens durables dont ils ont dû se priver pendant des années : un réfrigérateur, une automobile, un logement moderne. Ils entrent avec enthousiasme dans la société de consommation, un phénomène qui s'accentuera après 1960.

La croissance rapide de Montréal se perçoit aussi sur le terrain, car l'espace urbanisé est en expansion dans toutes les directions à la fois. À la fin de la guerre, il y a encore dans la ville de vastes zones, annexées au début du siècle, qui sont peu développées. Elles deviennent les nouveaux quartiers d'après-guerre, principalement le long de la rivière des Prairies (Ahuntsic, Bordeaux, Cartierville) et dans l'est (Rosemont et Longue-Pointe). Mais bientôt le mouvement déborde vers la banlieue. Dans l'île, certaines municipalités progressent rapidement : à l'est, Saint-Michel, Montréal-Nord et Saint-Léonard ; à l'ouest, Saint-Laurent et Dorval (où est situé le nouvel aéroport de Montréal depuis 1941). L'île Jésus, jusque-là surtout rurale, entre à son tour dans la ronde et s'urbanise autour des ponts Viau et Lachapelle. Un phénomène semblable se produit sur la rive sud, à proximité des ponts Victoria et Jacques-Cartier.

L'automobile joue un rôle déterminant dans le mouvement vers une banlieue de plus en plus éloignée du centre. Le nombre de véhicules augmente à un rythme accéléré et permet aux banlieusards d'habiter à une plus grande distance de leur lieu de travail. Cela ne va pas sans créer des problèmes. La circulation s'alourdit et le stationnement devient difficile; les automobilistes déplorent l'absence d'autoroutes et le nombre insuffisant de ponts. À la fin des années 1950, la construction du boulevard Métropolitain et de l'autoroute des Laurentides apporte des premières solutions, mais il faudra attendre les deux décennies suivantes pour voir des investissements massifs dans le réseau routier régional.

La nouvelle banlieue d'après-guerre entraîne un certain nombre de changements dans la façon d'habiter la ville. Centrée sur l'automobile, elle favorise l'émergence de centres commerciaux. Son urbanisme diffère de celui de Montréal, en particulier dans le tracé des rues, qui s'éloigne de la grille rectangulaire. Si on y construit encore des duplex, la maison unifamiliale de type bungalow devient prédominante, car elle répond bien aux besoins des jeunes familles qui sont à la recherche d'un environnement agréable pour élever les enfants du baby-boom.

La croissance de Montréal n'a pas seulement pour résultat l'étalement urbain, mais aussi le réaménagement du centre-ville. En 1945, celui-ci n'a pas beaucoup changé depuis la fin des années 1920, à cause du ralentissement de la construction dû à la crise et à la guerre. Les nouveaux projets s'y multiplient au cours des années 1950. Il y a d'abord la construction du boulevard Dorchester (aujourd'hui René-Lévesque), en 1954-1955. Elle a un double objectif : rendre le quartier des affaires plus accessible à la circulation automobile et aménager une artère de prestige afin d'y attirer les projets immobiliers. C'est d'ailleurs en bordure de ce boulevard que sera érigé le plus important édifice de la période, la place Ville-Marie (inaugurée en 1962). Son architecture moderne en fait bientôt le symbole d'un nouvel âge. D'autres gratte-ciel s'élèvent à leur tour et font du boulevard Dorchester l'épine dorsale de ce nouveau centre-ville qui remplace bientôt le Vieux-Montréal dans ses fonctions de quartier des affaires. Même si cette nouvelle réalité devient surtout visible après 1960, elle est en gestation dès les années 1950, une décennie au cours de laquelle se planifie la modernisation de Montréal.

Des forces de changement

La période de l'après-guerre est, en effet, celle où se manifestent d'importantes forces de changement au sein de la société montréalaise. Le principal ferment se trouve parmi cette nouvelle classe moyenne francophone qui avait commencé à émerger au cours des années 1920 et que la crise avait sérieusement malmenée. Le retour de la prospérité lui donne un nouveau souffle. Les membres des professions libérales, les petits commerçants, les agents d'assurances, tous profitent de l'enrichissement de la clientèle canadienne-française et voient leurs effectifs augmenter. Ils jouent un rôle important au sein de la Chambre de commerce et d'autres organismes qui ont une part significative dans les débats concernant l'avenir du Québec.

Il y a aussi ces nouveaux « professionnels » que sont les économistes, les spécialistes des relations de travail, les travailleurs sociaux, les psychologues, qui prennent une place accrue parmi l'élite montréalaise. Tout comme dans les années 1920, les professeurs d'université — tels François-Albert Angers, Michel Brunet et Pierre Elliott Trudeau — interviennent sur la place publique. Le monde syndical montréalais voit émerger de nouveaux leaders — tels Gérard Picard, Claude Jodoin, Roger Provost et Louis Laberge — qui acquièrent une grande notoriété.

Les médias représentent aussi un facteur de changement. C'est particulièrement le cas de la télévision de Radio-Canada, en ondes à partir de 1952, dont les émissions d'information ouvrent sur le monde et qui rend plus accessible une importante production culturelle. Les journalistes de la presse écrite ou parlée — les Judith Jasmin, André Laurendeau, René Lévesque, entre autres — sont de véritables vedettes et contribuent de manière importante à façonner l'opinion publique.

Le monde de l'éducation est, lui aussi, annonciateur de transformations. Même si le niveau de scolarisation des francophones reste inférieur à celui des anglophones, il progresse d'une génération à l'autre, comme en témoigne l'expansion de l'enseignement secondaire et de la formation professionnelle. Pour une partie de la population francophone, l'éducation est devenue synonyme de mobilité sociale. Les collèges classiques sont le symbole par excellence de cette mobilité et ils sont alors en plein essor : plusieurs nouveaux collèges sont créés à Montréal et les plus anciens agrandissent leurs installations pour répondre à la demande.

Il y a, dans la société montréalaise de l'après-guerre, une soif de modernisation qu'un groupe d'artistes dirigé par Paul-Émile Borduas exprime avec vigueur en 1948, dans le manifeste *Refus global*, mais qui est aussi de plus en plus présente chez les nouvelles élites francophones. On cherche à faire contrepoids au traditionalisme de l'Église et du gouvernement Duplessis en réclamant à la fois une plus grande liberté de penser et des réformes sociopolitiques d'envergure. En outre, grâce aux nouveaux moyens de communication et aux voyages devenus plus faciles, les Montréalais ont une connaissance directe des réalisations de la société américaine, qui devient le modèle à imiter.

Ce désir de changement se heurte à la résistance de l'Église, qui demeure sur la défensive. La pratique religieuse décline à Montréal, en particulier en milieu ouvrier. Le contrôle de la morale est rendu plus difficile par l'essor des moyens de communication modernes, par les nouvelles pratiques sociales et culturelles et la diversification de la société montréalaise. L'Église est débordée par la croissance de la demande en matière d'éducation, de soins hospitaliers et de services sociaux et doit faire de plus en plus appel à des laïcs, qui acceptent mal le contrôle que leur imposent les religieux et les religieuses. L'épiscopat de Joseph Charbonneau (1940-1950) est pourtant l'occasion d'une ouverture plus grande à la participation des laïcs à la vie de l'Église. L'archevêque manifeste une volonté d'adapter l'institution religieuse aux nouvelles réalités d'une ville moderne et cosmopolite. Mais, avec Paul-Émile Léger, nommé archevêque en 1950 et cardinal en 1952, l'Église montréalaise se raidit et cherche à exercer une autorité plus conforme à sa tradition. Cette position est intenable à long terme et, dès la fin de la décennie, le prélat l'assouplit et accepte d'ouvrir un dialogue qui mènera à une redéfinition en profondeur du rôle de l'Église, dans le contexte de la Révolution tranquille et du Concile Vatican II.

Le vent de changement qui souffle sur Montréal ne touche pas seulement l'Église. En effet, les élites francophones acceptent de plus en plus mal le statut de citoyens de seconde zone imposé aux Canadiens français dans leur propre ville. C'est la situation privilégiée des Canadiens anglais qui est ici en cause. La colère gronde devant le poids considérable de la langue anglaise dans la vie montréalaise, devant l'imposition du bilinguisme aux seuls francophones et devant l'unilinguisme anglais de nombreuses organisations ou entreprises ayant des contacts avec une clientèle de langue française. Elle gronde aussi devant la discrimination dont sont victimes les Canadiens français sur le marché du travail : salaires moins élevés, difficulté d'obtenir des promotions et d'accéder à des postes de cadre. Elle est attisée en 1954-1955 par l'affaire du « Château Maisonneuve », quand le président du Canadien National refuse de modifier sa décision de donner le nom « Reine Elizabeth » au nouvel hôtel que son entreprise fait construire à Montréal. Elle l'est aussi en 1955, quand la suspension imposée à Maurice Richard, le joueur vedette du Canadien, est perçue comme un affront national et provoque « l'émeute du Forum ». La colère des francophones éclatera au grand jour pendant les années 1960.

Le champ de bataille politique

Les forces de changement touchent aussi la scène politique. Depuis 1940, Montréal vit sous un nouveau régime qui a fait reculer la démocratie. Avec ses 99 conseillers répartis en trois classes et dont le tiers n'est pas constitué d'élus, la scène politique municipale est devenue une affaire complexe, un champ de bataille où s'affrontent des intérêts divers. Les nombreux clans qui se constituent au sein du conseil municipal cherchent à élargir leur influence et surtout à être représentés au Comité exécutif, le véritable lieu de pouvoir. Ils échafaudent des alliances et comptent sur les échanges de bons procédés pour parvenir à leurs fins et profiter du patronage, qui est le nerf de la vie politique. Il y a malgré tout une certaine stabilité représentée par Camillien Houde, « Monsieur Montréal », qui retrouve son poste de maire en 1944 et le conserve jusqu'en 1954, et par J.-O. Asselin, président du Comité exécutif de 1940 à 1954.

Un vent de réforme, provoqué par l'enquête sur la moralité, souffle au début des années 1950. L'affaire est lancée par l'avocat Pacifique Plante, ancien directeur adjoint de la police de Montréal, démis de ses fonctions en 1948. Celui-ci entreprend de dénoncer, sous le titre « Montréal sous le règne de la pègre », l'ampleur de la prostitution et du jeu illégal ainsi que la tolérance des policiers et des politiciens à l'égard de ces activités qui font de Montréal une « ville ouverte ». Le Comité de moralité publique, regroupant plusieurs associations, obtient la tenue d'une enquête publique, présidée par le juge François Caron. Pacifique Plante y joue un rôle déterminant, de même que le jeune avocat Jean Drapeau. De 1950 à 1954, le juge Caron entend de nombreux témoins et rédige un rapport qui confirme les affirmations de Plante et qui condamne de nombreux policiers.

Comme en 1909-1910, la dénonciation de la corruption entraîne un coup de balai politique. Les politiciens en place sont éclaboussés par cette affaire et le maire Houde choisit de quitter la vie politique. Auréolé du prestige que lui a donné l'enquête Caron, Jean Drapeau présente sa candidature à la mairie. Il prend la tête d'une formation politique, la Ligue d'action civique, qu'il a créée avec le conseiller Pierre Des-Marais. C'est la première fois qu'un véritable parti politique se présente sur la scène municipale, dominée jusque-là par des regroupements assez lâches de conseillers indépendants. Aux élections de 1954, Drapeau gagne la course à la mairie et son parti obtient un important bloc de sièges au conseil, sans toutefois avoir la majorité. Avec l'appui des conseillers non élus de la classe C, la Ligue s'impose au Comité exécutif, dont Des-Marais devient le président.

Les opposants à la Ligue tirent les leçons de cette expérience et se regroupent à leur tour dans un parti, le Ralliement du Grand Montréal. Ils obtiennent l'appui de l'organisation politique de l'Union nationale, qui a des comptes à régler avec Drapeau, un opposant notoire au premier ministre Maurice Duplessis. Aux élections de 1957, le Ralliement réussit à faire élire Sarto Fournier à la mairie. Il gagne moins de sièges au conseil que la Ligue mais, profitant à son tour de l'appui des conseillers de la classe C, obtient la présidence du Comité exécutif.

Tout au cours de cette période, comme aucun des deux groupes ne détient la majorité des sièges, le conseil municipal devient un véritable champ de bataille où s'affrontent les clans opposés. Le moindre projet fait l'objet de débats interminables qui paralysent l'administration municipale. Les élections, surtout celles de 1957, se déroulent dans un climat de violence. Dans ce contexte, la Ville semble devenue ingouvernable, surtout entre 1957 et 1960. Cela explique les changements notables qui surviennent en 1960.

Cette année-là, les électeurs montréalais décident, par un référendum, l'abolition de la classe C. Le conseil comprendra désormais 66 élus, la moitié de la classe A, choisis par les seuls propriétaires, l'autre moitié de la classe B, choisis par les propriétaires et les locataires. Au même moment, on assiste au retour en force de Jean Drapeau. Quelque temps avant les élections, celui-ci met sur pied une nouvelle formation politique, le Parti civique. Il propose à l'électorat de régénérer la politique municipale par l'élection d'un gouvernement majoritaire qui mettrait fin aux querelles ayant paralysé le conseil au cours des années précédentes. Les citoyens montréalais, dégoûtés de la situation qui prévaut depuis 1957, expriment leur ras-le-bol en élisant Drapeau à la mairie et en attribuant les deux tiers des sièges de conseillers au Parti civique.

C'est un changement d'envergure. Disposant d'une nette majorité au conseil, Drapeau fait élire six conseillers de son propre parti au Comité exécutif. Un peu à la manière des parlements de Québec et d'Ottawa, Montréal sera désormais administrée par un gouvernement entièrement issu du parti majoritaire. La Ville y gagne une unité d'action et une efficacité inconnues jusque-là.

Dans le contexte politique agité des années d'après-guerre, un certain nombre de dossiers accaparent l'opinion publique. L'un d'entre eux, la gestion de services publics par l'entreprise privée, trouve enfin sa solution. Depuis le début du siècle, des groupes avaient périodiquement fait campagne en faveur de l'étatisation des services publics. Dans le cas de l'électricité, c'est chose faite en 1944 quand le gouvernement québécois acquiert Montreal Light, Heat and Power pour constituer Hydro-Québec. En 1951, c'est au tour de la compagnie de tramways ; elle est remplacée par la Commission de transport de Montréal, un organisme public dominé par la Ville de Montréal, mais où siègent aussi des représentants de la banlieue. La Commission présidera au remplacement systématique des tramways par des autobus, processus qui est achevé en 1959.

Un autre dossier chaud est celui de la coordination intermunicipale dans l'île de Montréal, dossier auquel l'essor considérable de la banlieue après la guerre donne une certaine urgence. On discute abondamment de la régionalisation de certains services assurés de façon indépendante par chacune des municipalités. Mais, entre Montréal et les villes de banlieue, la méfiance règne. Il existe depuis 1921 une Commission métropolitaine de Montréal, dont le rôle et les pouvoirs sont limités. Elle est remplacée en 1959 par la Corporation du Montréal métropolitain où la ville centrale et la banlieue ont un nombre égal de sièges et dont le président est nommé par le gouvernement du Québec. Celle-ci ne sera guère plus efficace que la précédente, et il faudra attendre 1970 pour que soit enfin réglée la question de la gestion régionale de certains services municipaux.

Un autre grand débat des années 1950 est celui de la rénovation urbaine. L'existence de taudis dans les quartiers anciens de Montréal est régulièrement dénoncée, mais on ne s'entend pas sur la solution à ce problème. En 1954, un important projet de rénovation à proximité du centre-ville, le plan Dozois, propose la démolition d'un vaste ensemble de taudis et son remplacement par des habitations à loyer modique. Il suscite des débats interminables à propos de la vocation résidentielle ou commerciale à donner à ce secteur de la ville et à propos des types de bâtiments qui y seront érigés. Malgré les oppositions, les Habitations Jeanne-Mance sont finalement construites. Elles représentent toutefois une réponse bien limitée au problème de la détérioration du logement ancien à Montréal.

Sur les plans politique et social, les années de l'après-guerre apparaissent donc comme une phase préparatoire de la Révolution tranquille et des transformations en profondeur qui l'accompagneront. La prospérité économique engendre des aspirations nouvelles et une soif de changement qui trouveront leurs réponses après 1960.

chapitre 12

Feux d'artifice 1960-1976

Les années 1960 sont particulièrement excitantes à Montréal, avec l'effervescence de la Révolution tranquille et la cure de modernisation de la ville. Expo 67 vient encore magnifier cette perception. L'excitation masque toutefois l'amorce d'un déclin économique et d'un ralentissement démographique que les Jeux olympiques de 1976 ne pourront pas camoufler.

Bâtir le Montréal moderne

Dans le monde occidental, les années 1960 sont marquées par une effervescence exceptionnelle qui se manifeste aussi à Montréal. Partout, la jeunesse s'affirme, les modèles traditionnels sont remis en question, une liberté nouvelle s'exprime. La sempiternelle querelle des Anciens et des Modernes ressurgit encore une fois et mène à la victoire des tenants de la modernité.

Au Québec, le phénomène est amplifié par la Révolution tranquille qui commence précisément en 1960. Portée par un vent de libération et un nationalisme d'affirmation, elle vise un « rattrapage » accéléré afin de combler des retards bien identifiés. À Montréal, en stimulant le réveil des francophones, la Révolution tranquille provoque des bouleversements politiques et culturels dont il sera question plus loin.

L'intervention étatique accrue portée par la Révolution tranquille a des effets importants sur la modernisation de l'économie et de l'espace montréalais. Le gouvernement québécois, appuyé par son homologue fédéral, met en chantier tout un réseau d'autoroutes et de nouveaux ponts qui sera complété pendant la décennie suivante. Il investit dans la construction d'immeubles administratifs (dont le nouveau palais de justice), d'écoles, de pavillons universitaires et d'autres édifices publics. De son côté, le gouvernement fédéral planifie l'érection du complexe administratif Guy-Favreau et de la tour de Radio-Canada.

La modernisation de Montréal doit beaucoup à Jean Drapeau, qui occupe la mairie tout au long des années 1960 et 1970. Maire visionnaire, Drapeau a une haute conception du rôle et du rayonnement international de Montréal. C'est l'homme des grands projets. Il met en chantier le métro, inauguré en 1966. Il appuie les promoteurs qui développent le nouveau centre-ville, dans l'axe du boulevard Dorchester récemment élargi. La tour de la Place Ville-Marie (1962), point de départ de la ville souterraine, en est l'immeuble phare, mais bien d'autres complexes à l'architecture moderne s'y ajoutent en quelques années, transformant de façon radicale le paysage urbain.

Toutes ces constructions entraînent l'élimination de milliers de logements anciens et le déplacement de leurs occupants, ce qui provoque une prise de conscience qui aura des répercussions politiques. Une partie de l'histoire de Montréal tombe ainsi sous le pic des démolisseurs, mais l'heure n'est pas encore à la sauvegarde du patrimoine.

Le maire de Montréal a cependant peu d'emprise sur une autre dimension de la transformation de l'espace, l'étalement urbain. En 1961, sa ville rassemble 56 % de la population de l'agglomération ; quinze ans plus tard, elle n'en a plus que 39 %. La nouvelle banlieue est un pur produit de l'automobile et bénéficie de la construction de plusieurs nouveaux ponts et du réseau d'autoroutes. De plus en plus, l'expansion suburbaine se fait à l'extérieur de l'île de Montréal ; on y compte près d'un million d'habitants en 1976.

Le plus beau succès de Jean Drapeau est la tenue de l'Exposition universelle et internationale de Montréal en 1967. Elle représente un moment magique pour les Montréalais qui, pendant six mois, découvrent le monde. Expo 67 permet aussi d'accélérer la construction du métro et de nouvelles autoroutes. Drapeau voudra répéter l'exploit en organisant les Jeux olympiques de 1976. Une réussite sportive, l'événement n'aura guère de retombées sur le développement urbain. À cause des coûts faramineux de la construction du Stade olympique, il laissera la Ville exsangue sur le plan financier et mettra un terme aux grands projets du maire Drapeau.

Expo 67 donne aux Montréalais l'illusion de la grandeur au moment même où leur ville entre dans une phase de déclin. On prévoit alors que l'agglomération de Montréal compterait près de cinq millions d'habitants en 1981 ; en réalité, elle en aura moins de trois millions. Que s'est-il passé ?

La réorganisation économique

Au cours des années 1960, le modèle sur lequel s'appuyait le développement économique de Montréal depuis plus d'un siècle commence à s'écrouler.

Ce modèle reposait d'abord sur l'exploitation de l'avantage géographique qui faisait de Montréal l'interface privilégiée des échanges entre le Canada et le Royaume-Uni. Depuis des décennies, l'importance de ces échanges décline, au fur et à mesure que le Canada s'insère dans l'orbite américaine. Le coup de grâce viendra en 1973, avec l'adhésion du Royaume-Uni au Marché commun européen.

Ce modèle s'appuyait aussi sur une importante production manufacturière destinée au marché intérieur canadien et protégée de la concurrence étrangère par des droits de douane élevés. Les accords internationaux réduisent cette protection et permettent aux pays émergents de supplanter la production canadienne dans les industries à bas salaires. La fabrication de biens de consommation, si importante à Montréal, en subit durement les effets. En outre, les usines montréalaises sont anciennes et les entreprises qui choisissent de moderniser et de concentrer leur production le font souvent en Ontario.

Montréal est en outre désavantagée par la perte de son statut de métropole du Canada. Vers 1960, Toronto devance Montréal dans la plupart des domaines, sauf pour le nombre d'habitants (ce qui sera fait en 1976), et l'écart entre les deux villes s'accroît rapidement au cours des décennies 1960 et 1970. La montée du nouveau nationalisme québécois survient au moment où ce processus est très avancé ; elle contribue sans doute à l'accélérer, mais elle n'en est pas la cause principale. Plusieurs grandes entreprises déménagent leur siège social dans la Ville reine, qui devient la métropole incontestée du pays et qui abrite désormais le cœur de son système financier. Dur coup pour Montréal, qui perd ainsi des dizaines de milliers de résidants et d'emplois bien payés.

Le rythme de croissance s'en ressent à partir de 1967 : les investissements privés s'essoufflent, et les immigrants sont moins nombreux au moment même où la natalité des Québécois chute de façon rapide. La population de la ville touche un sommet en 1966, avec 1 214 352 habitants, puis, pour la première fois de son histoire, elle décline pour atteindre 1 080 546 en 1976. Certes, la croissance se poursuit dans la banlieue, mais à un rythme ralenti, et l'ensemble de l'agglomération gagne à peine plus de 50 000 habitants entre 1971 et 1976 pour atteindre le nombre de 2 802 485.

Malgré ce ralentissement, l'époque est tout de même synonyme de prospérité pour la plupart des Montréalais. La hausse du niveau de vie durant l'après-guerre se poursuit tout au long des années 1960 et 1970.

L'un des facteurs de cette amélioration est certainement la hausse marquée de la qualification de la main-d'œuvre, qui commande de meilleurs salaires.

En effet, le niveau de scolarisation moyen s'élève et la formation professionnelle devient plus poussée. Un deuxième facteur est la participation accrue des femmes au marché du travail, ce qui fait augmenter le nombre de ménages pouvant compter sur un double revenu.

La Révolution tranquille et plus généralement le développement de l'État-providence contribuent aussi à l'élévation du niveau de vie. Ainsi, la mise en place d'un réseau étendu de services sociaux et médicaux et l'expansion des services d'éducation provoquent un bond qualitatif substantiel par rapport à la situation des années 1950. L'intervention de l'État se manifeste aussi dans l'accroissement des investissements publics.

La reconquête francophone

L'un des aspects les plus significatifs de l'évolution de Montréal après 1960 est certainement ce qu'on a appelé la reconquête francophone. Celle-ci est portée par la Révolution tranquille et par le nouveau nationalisme québécois qui remet en question l'emprise de la minorité canadienne-anglaise sur plusieurs secteurs de la vie québécoise, notamment à Montréal.

La métropole représente un lieu stratégique et symbolique pour le courant nationaliste, car c'est là que la présence anglophone est la plus forte et que la confrontation des deux groupes linguistiques est la plus marquée. Alors que dans plusieurs régions du Québec la population est presque totalement de langue française, dans l'agglomération montréalaise, elle ne l'est qu'à 65 %. On ne s'étonne donc pas de voir les Montréalais participer activement aux luttes nationalistes et jouer un rôle déterminant dans la montée du courant indépendantiste, avec le Rassemblement pour l'indépendance nationale (1960-1968), puis du courant souverainiste, avec le Parti québécois, fondé en 1968. Le général de Gaulle choisit d'ailleurs le balcon de l'hôtel de ville de Montréal pour lancer son célèbre « Vive le Québec libre ! », en 1967. Tout au cours des années 1960 et 1970, diverses manifestations nationalistes se tiennent dans la métropole et certaines — notamment celle de la fête de la Saint-Jean-Baptiste en 1968 et celle pour un « McGill français » — tournent à la violence.

C'est à Montréal que se concentre l'action terroriste du Front de libération du Québec, marquée par plusieurs attentats à la bombe commis entre 1963 et 1970, et qu'a lieu la Crise d'octobre 1970, au cours de laquelle sont kidnappés le diplomate britannique James Richard Cross et le ministre Pierre Laporte (ce dernier y perd la vie). La Crise d'octobre a un impact considérable par l'ampleur de la réaction qu'elle provoque, tant au niveau municipal, où le maire Drapeau multiplie les déclarations alarmistes, qu'aux niveaux provincial et surtout fédéral. Le gouvernement de Pierre Elliott Trudeau applique la Loi des mesures de guerre et envoie l'armée à Montréal, qui prend l'allure d'une ville assiégée. Les centaines d'arrestations qui sont alors effectuées dépassent le cadre du FLQ et visent à casser à la fois le mouvement nationaliste et les groupes de gauche. Cette stratégie aboutit cependant à un échec puisque, au cours des années 1970, le militantisme syndical et le nationalisme souverainiste se renforcent. Pour ces deux mouvements, Montréal reste le foyer principal du changement social et politique. Les francophones de la métropole contribuent de façon importante à porter le Parti québécois au pouvoir en 1976.

C'est aussi à Montréal que se déroule l'essentiel de la bataille linguistique qui s'amorce dans les années 1960. Jusque-là, Montréal présentait dans son affichage public un visage anglais ou, au mieux, bilingue. La tendance à l'anglicisation des groupes ethniques minoritaires et des immigrants y était aussi très poussée. La réaction nationaliste, déclenchée en particulier par la crise scolaire de Saint-Léonard, où francophones et italophones s'opposent au sujet de l'obligation d'étudier en français, engendre une nouvelle dynamique. Celle-ci conduit à l'adoption, par les gouvernements québécois successifs, d'une série de lois linguistiques (lois 63, 22 et 101) qui renforcent graduellement le statut de la langue française au Québec et dont l'effet sera perceptible à la période suivante.

L'un des objectifs de la Révolution tranquille est de permettre à un plus grand nombre de francophones d'avoir accès à des postes de commande au sein de l'économie et de la société québécoises. Réalisé dans un premier temps grâce à l'expansion de l'appareil étatique, il touche ensuite le secteur privé. Les entreprises entre des mains canadiennes-anglaises ou étrangères font place aux francophones parmi leurs cadres québécois à compter des années 1970 et mettent fin à des décennies de discrimination. Plus remarquable encore est la montée d'une nouvelle bourgeoisie d'affaires francophone qui en vient à occuper une place de choix dans l'économie montréalaise.

Parallèlement à la reconquête francophone de la ville se déroule une autre lutte, également très importante, celle des femmes. La renaissance du mouvement féministe à compter des années 1960 n'est pas spécifiquement montréalaise ; elle se manifeste dans tous les pays occidentaux. La bataille pour l'égalité et l'indépendance des femmes touche plusieurs secteurs : le statut juridique, la participation au pouvoir politique, le monde du travail et le syndicalisme, l'autonomie financière, le droit à la contraception et à l'avortement, etc. Au Québec, c'est à Montréal que le phénomène atteint la plus grande ampleur, c'est là que s'organisent les groupes les plus militants et que se tiennent les manifestations les plus importantes. En ce domaine comme en bien d'autres, la métropole est le laboratoire social du Québec, le lieu où sonne avec le plus de force le signal du changement.

La période qui s'amorce en 1960 est en effet marquée par de profondes transformations sociales, stimulées par le climat particulier de la Révolution tranquille et par la prospérité économique qui se manifeste depuis l'après-guerre. Ces transformations ont des dimensions internationales, visibles dans l'émergence de nouvelles valeurs, et sont alimentées par le « phénomène jeunesse », c'est-à-dire l'arrivée à l'âge adulte de la génération du baby-boom. Au Québec et à Montréal, l'un des aspects les plus frappants de ces bouleversements est la redéfinition du rôle de l'Église, dans la foulée du Concile Vatican II, et la décléricalisation de la société, résultat de la Révolution tranquille. En ce sens, la démission du cardinal Léger de son poste d'archevêque de Montréal, en 1967, marque bien la fin d'une époque.

Le renouveau culturel

Ces transformations sociopolitiques se déroulent dans un contexte de bouillonnement culturel. Une culture québécoise renouvelée, résolument moderne et ouverte sur le monde, s'exprime avec force à partir des années 1960. Des auteurs — tels Hubert Aquin, Jacques Godbout, Gaston Miron et Michel Tremblay —, des cinéastes, des chanteurs, des acteurs, des musiciens, des peintres et des sculpteurs, travaillant principalement à Montréal, contribuent à la façonner. Les salles de spectacles — en particulier le complexe de la Place des Arts —, les musées — plus grands et plus nombreux —, les librairies, les galeries permettent de la diffuser efficacement.

Ce qu'il faut souligner ici, c'est le rôle pivot de Montréal, foyer principal de la culture québécoise. La création et la diffusion s'y concentrent. C'est là que se trouvent les grands réseaux de télévision de langue française, les entreprises de production culturelle et les maisons d'édition, que s'installent les artistes et les créateurs venus de tous les coins du Québec. Avec ses quatre universités (de Montréal, McGill, du Québec à Montréal et Concordia) et ses centres de recherche, la ville est un important lieu de production et de culture scientifiques.

Les intellectuels montréalais alimentent par leurs essais et leurs interventions publiques le bouillonnement d'idées qui déferle sur le Québec. Des revues telles *Liberté* et *Parti pris* ont, chacune dans son milieu, une influence considérable.

La ville est aussi un foyer d'inspiration qui stimule l'imaginaire. Avec *Les Belles-Sœurs* (1968), Michel Tremblay fait entrer avec éclat la langue populaire de Montréal — le joual — dans l'écriture théâtrale. Le groupe Beau Dommage chante avec beaucoup de succès l'expérience montréalaise. Celle-ci alimente également un grand nombre de romanciers, de cinéastes, de photographes, de peintres et de sculpteurs.

Montréal est en outre un creuset où se mêlent non seulement les nouvelles sources d'inspiration québécoises, mais aussi les influences étrangères, notamment américaines. Un Robert Charlebois, par exemple, chante avec des mots bien montréalais une musique de style américain et porte son message jusqu'en France. De leur côté, les produits culturels étrangers reçoivent un accueil enthousiaste sur le marché montréalais.

La modernisation de la scène politique

En politique municipale, la période qui s'amorce en 1960 tranche nettement avec celle des années 1950. Elle est dominée par la forte personnalité de Jean Drapeau, maire de 1960 à 1986, et par le Parti civique qu'il dirige. Avec lui s'instaurent un nouveau régime et un nouveau style de gouvernement à l'Hôtel de Ville. Le Parti civique est majoritaire au conseil et peut diriger seul la Ville en occupant tous les sièges au Comité exécutif. Au cours des années 1960, Drapeau jouit d'une popularité considérable. Formant avec Lucien Saulnier, président du Comité exécutif, l'une des plus fortes équipes de l'histoire de Montréal, il est en mesure de réformer la gestion de la ville et de trouver des solutions à de nombreux problèmes, tels la circulation et le stationnement ainsi que l'insuffisance des équipements collectifs.

L'administration Drapeau favorise les projets de modernisation de la ville, mais elle est fortement critiquée pour son insensibilité au sort des populations déplacées par les nombreuses démolitions que ces projets entraînent et pour l'insuffisance de ses interventions en matière d'habitation. De plus, elle ne se préoccupe guère des effets du déclin industriel de la ville.

À partir de la fin des années 1960, le Parti civique fait face à une vive opposition, provenant principalement de groupes populaires implantés dans les quartiers défavorisés et de militants syndicaux. Ces opposants s'identifient à des courants de gauche, allant de la social-démocratie au marxisme-léninisme, et réclament un changement radical dans la façon de gouverner la Ville et dans ses rapports avec les citoyens. D'abord regroupés en 1970 au sein de l'éphémère Front d'action politique (FRAP), ces opposants mettent sur pied, en 1974, le Rassemblement des citoyens de Montréal (RCM).

Un autre élément de la modernisation de la scène politique montréalaise est l'émergence d'un niveau de gouvernement métropolitain. Cette question divisait depuis longtemps les représentants de la ville et de la banlieue. Elle trouve enfin sa solution en 1970, avec la création de la Communauté urbaine de Montréal. Celle-ci prend en mains un certain nombre de services municipaux, notamment la police, le transport en commun, l'évaluation foncière, le schéma d'aménagement, l'assainissement de l'air et de l'eau. Sa création permet de mieux répartir le fardeau financier que représentent ces services.

Expo 67 et les Jeux olympiques de 1976 n'auront-ils été que des feux d'artifice ? Certes, les transformations de Montréal après 1960 se sont faites sous le signe de la modernisation, mais elles ont provoqué des bouleversements en profondeur et engendré de grands problèmes d'ajustement. Montréal est en perte de vitesse dans l'ensemble canadien et est affaiblie par les départs vers Toronto. Revitalisée par un nouveau leadership francophone, Montréal reste une métropole importante et dynamique, mais son avenir apparaît plutôt sombre en 1976.

chapitre 13

Un climat de morosité 1976-1994

À partir des années 1970, Montréal entre dans une longue période de faible croissance et de restructuration économique. Un climat de morosité s'installe dans la ville sinistrée. Malgré tout, la métropole du Québec affiche un dynamisme culturel qui rayonne à l'étranger. Ses habitants et ses dirigeants se réapproprient la ville en misant sur ses forces internes et sur son patrimoine.

Un long ajustement

Pour Montréal, la période de 1976 à 1994 est particulièrement éprouvante sur le plan économique. La ville est fortement ébranlée par les récessions de 1981-1982 et de 1990-1992. Le taux de chômage atteint alors des niveaux qu'elle n'avait pas connus depuis des décennies. Il est particulièrement élevé dans les quartiers anciens, où se concentrent les assistés sociaux, tandis que la situation est meilleure dans la banlieue. Ce problème n'est d'ailleurs pas dû seulement aux crises conjoncturelles ; il est accentué par les transformations profondes que subit l'économie de la métropole.

La remise en question de la structure économique qui, depuis le milieu du XIXe siècle, avait caractérisé Montréal fait sentir ses effets dans les années 1970 et 1980. On assiste en particulier au déclin de plusieurs industries manufacturières qui avaient occupé une place considérable dans la vie de la ville, notamment celles de la chaussure, du textile et du vêtement. Un grand nombre d'entreprises doivent fermer leurs portes ou réduire radicalement leur personnel, parce que ce type de production se déplace maintenant vers des pays en développement où les salaires sont nettement plus bas. Dans l'industrie lourde aussi la concurrence internationale se fait sentir, mais l'évolution technologique défavorise également Montréal, dont les usines sont vieilles et parfois désuètes. La production de matériel de transport ferroviaire, victime du déclin du rail, n'est plus que l'ombre de ce qu'elle était, tandis que des raffineries et bien d'autres usines sont démantelées.

Le rôle traditionnel de pivot des transports canadiens est, lui aussi, fortement ébranlé. Vancouver émerge comme le plus important port du pays, résultat du développement des échanges entre le Canada et les pays du Pacifique. Le port de Montréal arrive néanmoins à se définir une nouvelle vocation dans l'axe nord-atlantique, grâce aux conteneurs. De nouvelles installations de manutention sont érigées dans l'est de la ville, mais le nombre de débardeurs est considérablement réduit et le Vieux-Port est abandonné, avant d'être réorienté vers des fonctions récréotouristiques. Le déclin du transport ferroviaire, au profit du camion et de l'autobus, réduit sensiblement l'activité de ce secteur qui tenait auparavant une grande place dans l'économie montréalaise. Quant au transport aérien, la position dominante de Montréal, au début des années 1960, est renversée en moins d'une décennie par la montée de Toronto comme principal centre du trafic canadien et international. L'ouverture de Mirabel (1975) aggrave encore les choses, car la division des activités entre deux aéroports enlève à Montréal son rôle de point de correspondance.

Le déclin des industries traditionnelles n'est pas propre à Montréal, car il affecte au même moment de nombreuses villes de l'est des États-Unis. Dans plusieurs secteurs, les entreprises arrivent à survivre en déménageant dans des installations plus modernes. Cela implique toutefois un déplacement qui se fait souvent au bénéfice de l'Ontario, province davantage située au cœur du marché canadien. Quand elles décident de rester à Montréal, de nombreuses entreprises choisissent de s'installer en banlieue, à proximité des autoroutes modernes. Il en résulte une désindustrialisation rapide et massive des vieilles zones manufacturières de la ville, notamment celles du canal de Lachine et d'Hochelaga-Maisonneuve.

Mais tout n'est pas noir dans ce tableau. L'agglomération montréalaise obtient d'importants investissements dans des industries dites de pointe, dans des secteurs comme l'aéronautique, les produits pharmaceutiques, l'informatique. Les entreprises embauchent une main-d'œuvre qualifiée commandant des salaires plus élevés que ceux que versaient les secteurs traditionnels. On assiste en outre à la création de nombreuses PME spécialisées, tournées vers l'exportation. Au total, Montréal émerge de ce processus avec une structure manufacturière considérablement modernisée et plus efficace. Celle-ci emploie cependant une plus faible proportion de la population active, et la réorganisation industrielle laisse sur le carreau des dizaines de milliers de chômeurs qui ont de la difficulté à se recycler.

Un autre aspect très important de la transformation de l'économie montréalaise est la place que prend maintenant le secteur des services : magasins, firmes d'ingénieurs et de comptables, études d'avocats, agences de publicité, intermédiaires financiers, agences de voyages, bureaux de psychologues, restaurants, mais aussi services publics et parapublics ainsi que production culturelle. C'est dans ces domaines très variés, dont certains connaissent une croissance remarquable, que se trouve désormais la vaste majorité de la main-d'œuvre.

Le déménagement vers Toronto de plusieurs sièges sociaux entraîne le départ d'un nombreux personnel administratif. Cette saignée est compensée, mais seulement en partie, par l'émergence de grandes entreprises francophones — telles Provigo, Bombardier et Quebecor — et de sociétés publiques comme Hydro-Québec et la Caisse de dépôt et placement du Québec, qui établissent leur siège social à Montréal et y maintiennent une activité financière. Le mouvement de fusions et d'acquisitions qui touche les entreprises québécoises contribue en effet à la concentration du pouvoir économique et fait de Montréal, encore plus qu'auparavant, la métropole du Québec et son principal centre de décision. La présence continue dans la ville du siège social de quelques grandes sociétés canadiennes — telles Alcan, BCE et Power Corporation — contribue aussi au maintien de fonctions métropolitaines de haut niveau et au rayonnement international de la ville.

L'étalement urbain

Les bouleversements qui affectent l'économie montréalaise se reflètent évidemment dans le ralentissement de la croissance démographique. Tout au cours de la période, la population de la ville centrale se maintient autour d'un million d'habitants. Celle de l'ensemble de la région métropolitaine passe de 2,8 millions en 1976 à 3,3 millions en 1996, mais il faut dire que son territoire s'est agrandi. Un gain d'un demi-million en vingt ans, c'est bien peu, surtout quand on le compare avec celui de Toronto, qui est trois fois plus élevé.

Plusieurs facteurs contribuent à cet essoufflement. Il y a d'abord la chute notable de la natalité, surtout après 1965, qui contraste avec le baby-boom de la période précédente. De plus, le mouvement séculaire d'exode rural touche à sa fin. Il n'y a plus beaucoup d'agriculteurs au Québec, et les résidants des villages et des petites villes sont de moins en moins attirés vers la métropole. En outre, Montréal perd un nombre important de ses citoyens, partis vers d'autres villes du Canada, surtout Toronto.

Ces départs sont en partie compensés par l'immigration internationale. Montréal reçoit cependant une proportion moindre qu'auparavant des nouveaux venus qui s'établissent au Canada. Les personnes nées à l'étranger représentent tout de même environ 15 % de la population de l'agglomération, et leur poids serait encore plus grand si on ajoutait leurs enfants nés au Canada.

Outre le ralentissement de la croissance, le phénomène le plus marquant est la nouvelle répartition de la population dans l'agglomération. La part de la ville de Montréal décroît au profit de la banlieue ; en 1996, elle ne représente plus que 30 % du

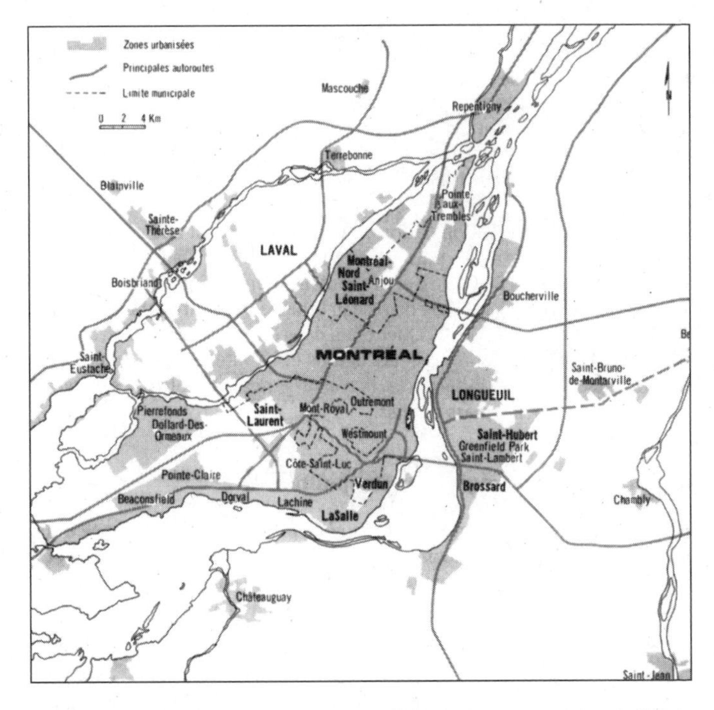

La région métropolitaine de Montréal en 1981. L'urbanisation déborde l'île de Montréal et s'entend en direction de la rive sud et de la rive nord (*Histoire du Québec contemporain,* tome 2. Cartographie : Yves Brousseau).

total. C'est que la banlieue connaît une formidable poussée qui prolonge celle qui s'était amorcée antérieurement. Dans les années 1960, ce sont surtout les extrémités est et ouest de l'île ainsi que l'île Jésus (devenue la ville de Laval en 1965) qui en profitaient, mais au cours des deux décennies suivantes le mouvement déborde largement du côté de la rive sud et de la rive nord. En fin de période, l'agglomération de Montréal compte environ 130 municipalités.

La migration vers la banlieue est surtout le fait de jeunes

familles francophones qui veulent accéder à la propriété à un coût abordable et élever leurs enfants dans un milieu plus calme. Elles reproduisent le modèle qu'avaient suivi antérieurement les familles anglophones. Pour l'heure, le mouvement est moins perceptible chez les allophones.

Cette banlieue est loin d'être uniforme et, comme dans les quartiers de Montréal, on observe des écarts importants entre les secteurs huppés et ceux qui attirent les plus démunis. La dépendance envers l'automobile représente un trait commun, accentué par la multiplication des centres commerciaux régionaux. On s'éloigne peu à peu du modèle exclusif de la banlieue-dortoir dont les résidants font matin et soir le trajet vers le centre-ville. Des entreprises s'installent dans ces villes nouvelles, de nombreux emplois de services y sont créés, de sorte que la dépendance envers la ville centrale s'amoindrit. À long terme, l'étalement pose d'épineux problèmes de coordination et de planification de l'ensemble métropolitain, dans la mesure où toutes ces municipalités sont en concurrence les unes avec les autres pour attirer de nouveaux investissements. À l'aube des années 1990, la nécessité d'une concertation régionale est de plus en plus débattue.

Une ville francophone et multiethnique

La reconquête de Montréal par les francophones atteint toute son ampleur pendant la période qui s'ouvre en 1976. L'adoption de la Charte de la langue française (loi 101) par l'Assemblée nationale du Québec, en 1977, met fin à une décennie de bataille linguistique dont Montréal était l'enjeu principal.

L'image extérieure de Montréal en sort notablement transformée, avec l'implantation de l'affichage unilingue français. Il en est de même en éducation, où le processus de francisation des enfants d'immigrants renverse la tendance antérieure. Le mouvement touche aussi les lieux de travail, où l'usage du français devient plus répandu. Dans les grandes entreprises canadiennes et étrangères, il devient habituel de nommer des francophones à la tête des activités québécoises.

La population d'origine française continue à représenter un peu moins des deux tiers de la population de la région métropolitaine. Le déplacement d'une partie de ses effectifs vers la banlieue a pour résultat de réduire sa part dans l'île de Montréal, où les francophones ne sont plus que 55 % en 1996.

La population d'origine britannique, dont la part diminue depuis plus d'un siècle, voit aussi ses effectifs décliner en nombre à partir des années 1970, conséquence des départs vers Toronto et de la chute de l'immigration en provenance du Royaume-Uni. Les anglophones de Montréal comprennent de plus en plus de personnes d'autres origines, à la suite des transferts linguistiques qui ont touché les groupes installés depuis assez longtemps, notamment une partie des Juifs ashkénazes, des Italiens et des Grecs.

Le phénomène le plus imposant est l'augmentation rapide des effectifs des allophones. C'est là le résultat de changements radicaux survenus dans l'origine des courants migratoires. Jusqu'aux années 1960, Montréal recevait essentiellement des immigrants de souche européenne. Des changements à la politique canadienne d'immigration autorisent alors la venue de personnes de toutes les régions du monde. À partir des années 1970, la majorité des nouveaux immigrants à Montréal viennent soit de l'Asie, soit des Antilles, soit de l'Afrique du

Nord. La diversité ethnique s'installe à Montréal de façon éclatante. En 1996, le tiers de la population de l'agglomération n'est ni d'origine française, ni d'origine britannique, ce qui fait de Montréal un lieu distinct au sein du Québec.

Ainsi, en même temps qu'elle devient plus francophone, Montréal devient aussi plus multiculturelle. Jusqu'en 1960, la vieille stratégie de cloisonnement avait amené chacun des grands groupes ethniques de la ville à se développer en s'isolant des autres. À compter des années 1970, plusieurs barrières tombent. La diversité ethnique de Montréal devient reconnue et même célébrée. Le boulevard Saint-Laurent, au cœur du traditionnel couloir des immigrants, en vient à symboliser, plus que tout autre lieu, la diversité montréalaise. Il attire des foules nombreuses en quête soit d'exotisme, soit de raffermissement des liens avec les cultures d'origine.

Se réapproprier la ville

L'aventure des Jeux olympiques de 1976 met fin à l'ère des grands projets et de la course effrénée à une modernisation destructrice. La résistance de comités de citoyens a fait comprendre aux dirigeants et à l'opinion publique qu'on ne pouvait pas impunément raser des îlots entiers et expulser sans ménagement des centaines de locataires.

Par ailleurs, on voit s'affirmer, surtout à compter de 1973, des groupes de défense du patrimoine bâti. D'abord préoccupés du sort des maisons témoignant de la grandeur passée de l'élite anglo-protestante, ces groupes en viennent à adopter une conception plus ouverte du patrimoine qui englobe les sites industriels, les milieux de vie et l'environnement urbain. Ils réussissent à sensibiliser les Montréalais à l'importance de la préservation du patrimoine.

L'heure n'est donc plus à la démolition, mais bien à la conservation, à la restauration et à la rénovation. La Ville offre une aide financière aux propriétaires qui réparent leur maison. Elle veut que les projets de logements publics s'insèrent dans la trame urbaine existante, plutôt que d'essayer de la remplacer.

La Ville tente aussi de revitaliser les quartiers anciens par la relance des rues commerciales, le remplacement du mobilier urbain et la multiplication des maisons de la culture. Ainsi, la revitalisation de Montréal passe d'abord par la renaissance de la vie de quartier.

On voit aussi se multiplier les lieux culturels à vocation métropolitaine, que fréquentent de plus en plus les Montréalais. Les principaux musées sont tous agrandis et plusieurs autres sont créés. De nouvelles troupes de théâtre ou de danse sont mises sur pied et occupent, en les transformant, des immeubles anciens. Le Vélodrome olympique devient le Biodôme. On met en valeur comme espaces récréotouristiques le Vieux-Montréal et le Vieux-Port, qui attirent chaque année des millions de visiteurs et qui présentent des activités culturelles variées.

Tout cela est possible parce que Montréal est devenue encore plus qu'avant un centre dynamique de création culturelle, le principal lieu d'expression d'une culture québécoise francophone originale. Mieux appuyée par les gouvernements, cette production culturelle dispose aussi de canaux de diffusion — presse, médias électroniques, maisons d'édition, etc. — proprement montréalais.

La réappropriation de la ville par les Montréalais se manifeste aussi dans la création et la popularité croissante des grands festivals, dont les activités se déroulent en partie dans les rues de la ville. Le Festival de jazz, le Festival Juste pour rire, les Francofolies, le Festival des films du monde et plusieurs autres témoignent du dynamisme montréalais, malgré la morosité économique ambiante. La fierté montréalaise s'exprime avec un éclat particulier en 1992, lors des célébrations du 350e anniversaire de la création de la ville. C'est l'occasion d'inaugurer Pointe-à-Callière, le musée consacré à l'histoire et à l'archéologie de Montréal.

Tous ces équipements et événements culturels ne visent pas uniquement les citadins ; ils marquent aussi l'insertion de la ville dans de vastes réseaux internationaux. Montréal manifeste sa vocation internationale non plus par des coups d'éclat éphémères, mais par la multiplication d'événements annuels qui attirent sur son territoire des personnalités et des groupes de l'étranger. Elle devient aussi l'une des principales destinations nord-américaines pour l'organisation de grands congrès internationaux. La croissance rapide de ses quatre universités contribue également à renforcer cette dimension internationale. Le développement des échanges entre les pays de langue française permet notamment à Montréal de s'affirmer comme l'une des grandes métropoles de la francophonie, une ville dont les créateurs et les artistes rayonnent à l'étranger et dont les chercheurs et les universitaires acquièrent une stature internationale.

Un changement de la garde

En 1976, le maire Jean Drapeau, chef du Parti civique, est déjà à la barre sans interruption depuis seize ans et il le sera encore dix ans de plus. La popularité de Drapeau est nettement en baisse, mais il se maintient au pouvoir grâce à la division de l'opposition. Comme c'est souvent le cas sur la scène municipale, on voit naître et disparaître des partis éphémères. Plus durable est le Rassemblement des citoyens et citoyennes de Montréal (RCM), fondé en 1974. Il forme l'opposition officielle aux élections de 1974 et de 1982.

Les Jeux olympiques ayant affaibli la situation financière de la Ville, le Parti civique ne peut plus gouverner comme avant. En 1978, l'arrivée d'Yvon Lamarre à la présidence du Comité exécutif marque un virage dans la politique du parti. Abandonnant les grands projets coûteux, l'administration municipale met désormais l'accent sur la relance économique de Montréal, la revitalisation de ses quartiers et l'investissement résidentiel, dans le but de freiner l'exode vers la banlieue. Malgré cela, l'usure du pouvoir fait son œuvre : en 1986, après 26 ans d'administration du Parti civique, Drapeau se retire de la vie politique et les élections mènent à la victoire du RCM et du nouveau maire Jean Doré.

Drapeau et le Parti civique étaient représentatifs de la nouvelle classe moyenne francophone — petits commerçants, administrateurs, agents d'assurances, etc. — qui s'était développée à partir des années 1920. Doré et le RCM représentent plutôt les nouvelles élites issues de la Révolution tranquille, comprenant de nombreux cadres et technocrates, ainsi que des militants syndicaux et des animateurs socioculturels. Après les élections de 1986, c'est donc une nouvelle génération qui accède au pouvoir.

Le RCM prône depuis longtemps une plus grande participation des citoyens à la démocratie municipale. Une fois au pouvoir, l'administration du RCM crée les Comités-conseil d'arrondissement et les bureaux Accès-Montréal. Elle favorise la concertation des principaux intervenants sur la scène montréalaise. Malgré ces ouvertures, elle s'occupe surtout de réformer l'administration municipale pour y implanter un modèle plus technocratique. Elle continue à appuyer l'amélioration de la qualité de vie dans les quartiers. L'équipe du maire Doré est réélue en 1990 et sera donc au pouvoir pendant huit ans.

Tout au cours de la période, la Communauté urbaine de Montréal (CUM) est le seul organisme de coordination intermunicipale. Elle gère certains services métropolitains comme la police et le transport en commun. La CUM ne regroupe cependant que les municipalités de l'île de Montréal. Or, l'agglomération montréalaise s'est considérablement étendue depuis 1970, de sorte que la CUM représente une portion déclinante de l'ensemble métropolitain (71 % en 1971 et 53 % en 1996), ce qui remet dans l'actualité la nécessité d'un mécanisme de coordination intermunicipale plus vaste.

Montréal vit donc une longue et douloureuse période de restructuration entre 1976 et 1994. Malgré l'éclat de son dynamisme culturel, les fermetures d'usines, le chômage élevé et la faible croissance alimentent un climat de morosité. Graduellement, Montréal prépare sa sortie de crise en misant sur l'économie du savoir et la qualité de vie dans ses quartiers rénovés.

chapitre 14

La relance de Montréal 1994-

Une effervescence nouvelle s'installe à Montréal au tournant du XXIe siècle. La morosité des décennies précédentes s'estompe. La relance de l'économie et le retour à la croissance en sont les signes les plus évidents, tandis que des réformes politiques transforment les rapports entre la ville centrale et sa banlieue.

Un nouveau boom économique

En 1994, l'économie montréalaise vit encore les effets de la sévère récession du début de la décennie. Le chômage et la pauvreté font des ravages et les banques alimentaires sont sollicitées. Des signes d'un redressement sont toutefois perceptibles et iront s'amplifiant.

Le long et douloureux processus de restructuration industrielle est maintenant terminé. Montréal en émerge avec des entreprises ultramodernes dans des secteurs de pointe tels l'aéronautique, le biopharmaceutique, l'informatique et les télécommunications. Dans tous les secteurs, même les plus traditionnels, les entreprises sont devenues plus spécialisées et plus concurrentielles et elles se tournent vers l'exportation.

Les entreprises tirent avantage de l'accord de libre-échange conclu avec les États-Unis en 1989, devenu l'ALÉNA en 1994. Dans la seconde moitié de la décennie, elles exportent massivement au sud de la frontière en profitant de la forte croissance américaine et de la faiblesse du dollar canadien. Ce véritable âge d'or de l'exportation canadienne est compromis dans la décennie suivante par la montée rapide de la Chine. Celle-ci met en marché des produits moins coûteux qui concurrencent ceux des entreprises canadiennes sur le marché américain, en même temps que sa demande de matières premières fait augmenter les prix, provoquant une hausse marquée du dollar canadien. À partir du milieu des années 2000, l'industrie montréalaise est donc de nouveau sous pression, mais les dommages n'ont pas la même ampleur que dans les années 1970 et 1980.

L'économie montréalaise connaît ainsi les effets de la mondialisation non seulement dans le commerce international, mais aussi dans les investissements. De nouvelles vagues de fusions et d'acquisitions d'entreprises emportent plusieurs sociétés québécoises qui avaient leur siège à Montréal, pendant que quelques autres étendent elles-mêmes leur réseau à l'étranger.

La relance de Montréal entraîne une prospérité nouvelle et la baisse des impôts permet d'accroître le revenu disponible. Des programmes de retraite anticipée dans la fonction publique et parapublique libèrent des postes pour les jeunes.

En quelques années, le chômage recule de façon marquée, aussi bien dans la ville centrale que dans l'ensemble de la région métropolitaine.

La relance a un effet spectaculaire dans l'immobilier. En 1994, Montréal est encore sous le choc de l'effondrement des valeurs foncières, survenu au début de la récession de 1990. Pendant plusieurs années, le marché est en panne et la valeur des permis de construction dans la région métropolitaine chute de moitié, atteignant un creux en 1995-1996. Le taux d'inoccupation des logements s'élève et les propriétaires cherchent des moyens d'attirer les locataires. La situation commence à s'améliorer à la fin de la décennie, mais l'activité immobilière explose à partir de 2001. En 2006, la valeur des permis de construction est trois fois plus élevée que dix ans plus tôt.

Dans les quartiers près du centre, le moindre lot vacant, le moindre terrain de stationnement est repris par un promoteur pour y ériger des logements en copropriété. Dans le Vieux-Montréal, le long du canal de Lachine et dans bien d'autres quartiers, d'anciens entrepôts et usines sont convertis à un usage résidentiel. À proximité du centre-ville sont érigées de nouvelles tours de copropriétés de luxe. En quelques années à peine, Montréal se débarrasse des milliers de cicatrices qui parsemaient son tissu urbain.

Le phénomène de *gentrification* — l'appropriation par des couches sociales plus aisées d'espaces auparavant occupés par une population à revenus modestes —, qui avait commencé à se manifester auparavant, prend une nouvelle ampleur. Il est plus marqué dans le Plateau et le Mile End, mais il commence aussi à apparaître dans les quartiers populaires du sud-ouest, près du canal de Lachine.

Une bonne partie de la construction neuve continue à se faire en banlieue. Les jeunes couples doivent cependant aller de plus en plus loin pour trouver une petite maison à un prix abordable. L'action se passe désormais dans la deuxième couronne, dans des municipalités comme Mirabel, sur la rive nord, ou Saint-Basile-le-Grand, sur la rive sud.

Des populations contrastées

Entre 1996 et 2001, la région métropolitaine de recensement (RMR) de Montréal ne gagne que 100 000 habitants, mais entre 2001 et 2006, sa population s'accroît de près de 210 000 personnes pour atteindre 3,6 millions d'habitants. Il y a donc une accélération au début du XXIe siècle, avec une croissance de 5,3 %, supérieure à la moyenne québécoise.

Cette augmentation des effectifs est surtout alimentée par l'immigration internationale, car le solde migratoire avec les autres régions du Canada est négatif. Les immigrants s'installent surtout dans la ville centrale, mais comme celle-ci perd des habitants au profit de sa périphérie, la banlieue affiche la plus forte croissance.

On désigne désormais sous le vocable de « 450 » (son indicatif téléphonique) l'ensemble de la banlieue qui entoure l'île de Montréal. Les spécialistes observent de plus en plus des différences de comportement (politique, de consommation, etc.) entre la population du 450 et celle de l'île de Montréal. On y trouve quelques enclaves anglophones et quelques têtes de pont allophones, mais ce territoire est essentiellement peuplé de francophones. On y recense la moitié de la population de la

RMR. Avec ses 368 000 habitants en 2006, Laval est la municipalité la plus populeuse et se distingue des autres. Longueuil (229 000) vient assez loin derrière. Pour le reste, le territoire du 450 intégré à la RMR est partagé entre plusieurs dizaines de municipalités de taille différente.

À la suite des migrations de la ville centrale vers la banlieue, il y a, dans l'île de Montréal, de moins en moins de francophones, ce qui peut avoir un effet sur l'usage de la langue française. Les allophones et, plus généralement, les personnes qui ne sont ni d'origine française, ni d'origine britannique restent encore concentrés dans l'île de Montréal au début du XXIe siècle, et leur présence en accentue le caractère multiculturel. En 2001, 31 % de la population de l'île a une langue maternelle autre que le français ou l'anglais. En banlieue, seules Brossard (27,5 %) et Laval (18 %) ont une présence significative d'allophones.

Au tournant du XXIe siècle, l'immigration nouvelle amène à Montréal beaucoup de Marocains, d'Algériens et de Libanais. Parmi eux, nombreux sont les musulmans, de sorte que des mosquées s'implantent dans le paysage montréalais. Venant de pays de la mouvance francophone, ces immigrants choisissent massivement Montréal et le Québec quand ils s'établissent au Canada, tout comme le font les milliers de Français qui traversent l'Atlantique. Cela donne à Montréal une immigration dont la composition est assez différente de celles de Toronto et de Vancouver. À l'inverse, la présence d'immigrants asiatiques — Chinois, Indiens, Pakistanais, Sri Lankais, Coréens et autres —, tout en étant significative, est proportionnellement beaucoup moins importante que dans les deux autres grandes régions métropolitaines du Canada.

L'examen de la répartition spatiale des groupes permet

d'observer deux phénomènes. D'abord, chez les groupes les plus nombreux et les plus anciens qui avaient créé de véritables enclaves ethniques dans l'axe du boulevard Saint-Laurent, on assiste, dans la seconde moitié du XXe siècle, à une migration par étapes. À la fin du siècle, le noyau principal de la population d'origine italienne se trouve à Saint-Léonard et à Rivière-des-Prairies, tandis que celui de la communauté juive est à Côte-Saint-Luc. Quant aux groupes arrivés depuis les années 1970, ils sont tellement nombreux qu'il n'est pas possible que chacun ait son propre quartier. On voit plutôt émerger des quartiers multiculturels où se côtoient plusieurs ethnies distinctes. Côte-des-Neiges, Parc-Extension et certaines parties de Saint-Laurent en sont de bons exemples.

La coexistence des groupes dans les quartiers multiculturels est plutôt harmonieuse, même quand se côtoient des populations issues de pays traditionnellement en conflit. Il en est de même des relations avec le groupe majoritaire francophone, dont les membres reconnaissent que la diversité fait désormais partie de l'identité montréalaise. La question des accommodements raisonnables consentis à des groupes religieux soulève toutefois des résistances.

À propos de la gestion des rapports interethniques, il faut souligner l'importance de la réforme des commissions scolaires. Depuis le XIXe siècle, celles-ci sont définies par la confessionnalité : d'un côté, une commission catholique, de l'autre, une commission protestante. Cette situation est en porte à faux, compte tenu de la diversité religieuse présente à Montréal et du caractère laïque des établissements publics. Depuis les années 1970, on débat de la nécessité de remplacer le critère confessionnel par le critère linguistique. Un amendement constitutionnel, adopté en 1997, permet de le faire. L'année suivante, deux commissions scolaires, l'une de langue française, l'autre de langue anglaise, sont établies à Montréal. On procède de même dans la banlieue.

Malgré le retour à une certaine prospérité, les fractures sociales persistent à Montréal. Dans plusieurs quartiers de la ville centrale, une partie significative de la population continue à vivre dans la pauvreté. Le décrochage scolaire des garçons les condamne aux emplois mal payés, sinon au chômage. Les familles monoparentales dirigées par des femmes sont très souvent défavorisées. Les jeunes appartenant aux minorités visibles ont plus de difficultés que les autres à se trouver du travail. Montréal reste donc une ville de contrastes où les inégalités sociales sont bien marquées.

Une ère de changements politiques

Aux élections de 1994, un nouveau changement de la garde survient au conseil municipal, avec la défaite du RCM et de Jean Doré. Le nouveau maire, Pierre Bourque, ancien directeur du Jardin botanique, est un novice en politique, mais il connaît très bien sa ville. Il fonde le parti Vision Montréal, qui obtient la majorité des sièges. Le « maire jardinier » n'a pas la tâche facile, car la situation financière de la Ville est désastreuse. Sa gestion très personnalisée du pouvoir et son amateurisme font grincer des dents les observateurs de la scène politique et provoquent des défections au sein de son propre parti. Bourque sait tisser des liens avec les Montréalais et conserve une popularité élevée chez les électeurs, qui le portent à nouveau au pouvoir en 1998.

Bourque reprend à son compte le vieux slogan de Jean Drapeau, « Une île, une ville », en proposant l'annexion des municipalités voisines. L'ironie est qu'il sera exaucé, mais qu'il ne pourra pas en profiter.

La question des relations entre Montréal et sa banlieue est abondamment discutée au cours des années 1990. Un des enjeux est la répartition sur l'ensemble de l'agglomération des coûts exceptionnels de la ville centrale, de ses services et de ses équipements collectifs.

Au début du XXIe siècle, deux aspects de cette question sont abordés. Le premier concerne la gestion de la région métropolitaine. La Communauté urbaine de Montréal, créée en 1970, n'exerce son autorité que sur une partie du territoire rassemblant à peine la moitié de la population de l'agglomération. Après bien des tergiversations, le gouvernement du Québec, dirigé par le premier ministre Lucien Bouchard, fait adopter sa solution en 2000. La CUM est abolie et remplacée par la Communauté métropolitaine de Montréal. Celle-ci obtient la responsabilité des équipements et services à caractère métropolitain ainsi que de l'aménagement et du développement de la région.

L'autre aspect de la question concerne les fusions municipales. Le gouvernement Bouchard est déterminé à réduire le nombre de municipalités au Québec pour éliminer les dédoublements et accroître l'efficacité administrative et fiscale.

La loi 170 prévoit la création, le 1er janvier 2002, d'une nouvelle Ville de Montréal regroupant toutes les municipalités de l'île. Elle prévoit aussi la formation d'une grande ville sur la Rive-Sud, qui s'appellera Longueuil. Dans l'un et l'autre cas, un comité de transition prépare en 2001 le regroupement et la réorganisation des services qu'il implique. Ailleurs dans l'agglomération, plusieurs municipalités emboîtent le pas en faisant des regroupements à deux ou à trois.

La fusion forcée provoque la résistance de plusieurs villes de l'île de Montréal qui tentent, sans succès, de la faire annuler par les tribunaux. Le mécontentement s'exprime aussi dans plusieurs municipalités de la Rive-Sud. Le chef du Parti libéral, Jean Charest, promet que, s'il est élu, il permettra les défusions.

Des élections ont tout de même lieu, en novembre 2001, pour doter la nouvelle Ville de Montréal d'une administration. Le maire Bourque obtient la majorité des sièges dans l'ancienne ville, mais il est lui-même défait à la mairie par Gérald Tremblay, chef de l'Union des citoyens et citoyennes de l'île de Montréal, qui rafle les sièges de l'ancienne banlieue. Paradoxalement, la nouvelle Ville sera gérée par une équipe dont certains membres veulent travailler à la détruire.

La loi imposant la nouvelle Ville prévoit la création de 27 arrondissements. Gérés par des élus, ces arrondissements doivent dispenser les services de proximité et faire en sorte que l'administration municipale ne soit pas trop éloignée de ses citoyens. Il s'agit donc d'une mesure de décentralisation des pouvoirs. Les arrondissements doivent gérer localement des budgets et des services, y compris leur personnel. L'administration Tremblay choisit d'ailleurs d'accentuer cette décentralisation. Ultérieurement, les présidents deviendront même des maires d'arrondissement.

En 2003, Jean Charest devient premier ministre du Québec et doit tenir sa promesse d'autoriser les défusions. Le processus, très encadré, prévoit la tenue de référendums qui ne seront valides que si le taux de participation est d'au moins 35 %. En juin 2004, quinze anciennes municipalités de l'île, toutes sauf une situées dans le West Island, obtiennent ainsi le droit de se défusionner de Montréal. Sur la Rive-Sud, quatre anciennes villes choisissent de se séparer de Longueuil. Les villes reconstituées n'ont pas des pouvoirs aussi étendus qu'auparavant. Dans l'île, elles se retrouvent en minorité face à Montréal, dans le nouveau Conseil d'agglomération qui gère les budgets des services communs.

Au terme de ce processus, Montréal conserve plusieurs des anciennes villes, parmi les plus populeuses, notamment Saint-Laurent, Outremont, Verdun, LaSalle, Montréal-Nord, Anjou et Saint-Léonard. Elle rassemble près de 90 % de la population de l'île.

En novembre 2005 a lieu une élection qui est un test pour Montréal. Gérald Tremblay est réélu à la mairie et son parti obtient la majorité des sièges de conseillers, y compris dans les arrondissements de l'ancienne ville. Pour Pierre Bourque, c'est la déconfiture, et il quitte peu après la scène municipale. Ce résultat montre que l'intégration des anciens et nouveaux citadins est sur la bonne voie.

En quelques années à peine, Montréal connaît donc des changements politiques d'envergure. Ses dirigeants doivent rapidement s'adapter au nouveau contexte et inventer d'autres façons de faire. L'agrandissement de son territoire donne à la ville centrale une stature nouvelle et le moyen d'exercer un leadership métropolitain.

Conclusion

Ce survol de l'histoire de Montréal a permis d'en dégager les principales étapes. Sur un territoire auparavant habité par des Iroquoiens, une petite colonie missionnaire a pris racine en 1642. Après des débuts difficiles, elle est devenue un centre de commerce fort actif, axé d'abord sur la traite des fourrures, puis sur un système d'échanges diversifié. À partir du milieu du XIXe siècle, l'industrialisation a transformé la petite ville en une métropole aux dimensions considérables, bourdonnante d'activités. Puis, au cours du XXe siècle, le développement du secteur des services est venu élargir encore la gamme de ses fonctions métropolitaines. Depuis les années 1960, Montréal a connu des bouleversements importants qui ont ébranlé de nombreuses structures héritées du passé et amorcé un processus de modernisation en profondeur.

Montréal bénéficiait au départ d'avantages évidents, en particulier sa situation sur le Saint-Laurent. Mais, pour qu'ils se matérialisent, il fallait compter sur l'esprit d'entreprise d'hommes et de femmes profondément attachés à cette ville qui ont su la doter d'institutions dynamiques. Paul de Chomedey de Maisonneuve et Jeanne Mance ont été les premiers à donner l'exemple, mais chaque génération qui leur a succédé a fourni son contingent de visionnaires. Derrière les vedettes, des millions d'hommes et de femmes, de gens d'affaires, de religieux, d'artisans, d'ouvriers, d'employés, d'intellectuels et d'artistes ont contribué à leur façon, et souvent dans l'ombre, à faire de Montréal une ville exceptionnelle.

L'un des traits essentiels de Montréal, tout au long de son histoire, tient à ses origines françaises. Les Français, devenus au fil des siècles des Canadiens, puis des Canadiens français et des Québécois, ont été présents à toutes les étapes de l'évolution de la ville et y ont laissé leur marque de multiples façons, sur toutes les facettes de sa vie collective. Ils y ont développé une culture originale, cherchant constamment à faire le lien entre l'héritage français et québécois et les apports continuels d'autres cultures. Ils ont fait de leur ville le foyer dynamique du Québec moderne.

Depuis deux siècles et demi, Montréal a aussi absorbé une forte influence britannique, puis canadienne-anglaise, dont l'interaction avec le milieu francophone a contribué à l'originalité de la société montréalaise. L'apport britannique a été important et a laissé des traces durables dans l'organisation économique, les institutions et même l'architecture de la ville. Au cours du dernier siècle est venue s'ajouter la contribution des Juifs, des Italiens, puis d'un nombre toujours plus considérable de groupes aux horizons culturels variés.

Un autre aspect frappant de l'histoire de Montréal est son américanité. Ses origines européennes ont été rapidement adaptées aux réalités nord-américaines. Dès l'époque de la Nouvelle-France, les Montréalais avaient une vision continentale, et ils l'ont maintenue par la suite. Ils ont su emprunter et utiliser à leur profit des éléments de la culture et de la technologie des Amérindiens d'abord, puis de leurs voisins américains.

Montréal a donc été et est toujours une ville d'accueil et une ville creuset, où se mêlent des apports diversifiés, où s'installent et cohabitent des personnes d'origines géographiques, ethniques et sociales diversifiées. Elle est une ville d'échanges où circulent les individus, les idées, les marchandises, les capitaux et les technologies. Beaucoup d'autres grandes villes d'Amérique du Nord présentent aussi ces caractéristiques, mais à Montréal elles prennent une coloration unique, notamment en raison de la cohabitation des univers francophone et anglophone. C'est ce qui en fait une ville si fascinante.

Suggestions de lectures

Pour un inventaire détaillé des publications sur l'histoire de Montréal, on consultera :

BURGESS, Joanne, Louise Dechêne, Paul-André Linteau et Jean-Claude Robert (dir.), *Clés pour l'histoire de Montréal. Bibliographie,* Montréal, Boréal, 1992, 247 p.

Quelques ouvrages généraux

ATHERTON, William H., *Montreal, 1535-1914,* Montréal, Clarke, 1914, 3 vol.

BENOÎT, Michèle et Roger Gratton, *Pignon sur rue. Les quartiers de Montréal,* Montréal, Guérin, 1991, 393 p.

BLANCHARD, Raoul, *Montréal, esquisse de géographie urbaine,* Montréal, VLB, 1992, 281 p.

DECHÊNE, Louise, *Habitants et marchands de Montréal au XVIIe siècle,* Montréal, Boréal, 1988, 532 p.

—, « La croissance de Montréal au XVIIIe siècle », *Revue d'histoire de l'Amérique française,* vol. 27, n° 2 (septembre 1973), p. 163-179.

HIGGINS, Benjamin, *The Rise and Fall? of Montreal. A Case Study of Urban Growth, Regional Economic Expansion and National Development,* Moncton, Institut canadien de recherche sur le développement régional, 1986, 256 p.

LACHANCE, André, *La Vie urbaine en Nouvelle-France,* Montréal, Boréal, 1987, 148 p.

LANDRY, Yves (dir.), *Pour le Christ et le roi. La vie au temps des premiers Montréalais,* Montréal, Art global/Libre Expression, 1992, 320 p.

LINTEAU, Paul-André, *Histoire de Montréal depuis la Confédération,* deuxième édition augmentée, Montréal, Boréal, 2000, 627 p.

LINTEAU, Paul-André et Jean-Claude Robert, *Le Montréal pré-industriel (1760-1850)/Pre-industrial Montreal (1760-1850),* Ottawa, Musée national de l'Homme et Office national du film, 1980.

MARSAN, Jean-Claude, *Montréal en évolution. Historique du développement de l'architecture et de l'environnement urbain montréalais,* troisième édition revue, corrigée et mise à jour, Montréal, Méridien, 1994, 515 p.

ROBERT, Jean-Claude, *Montréal (1821-1871). Aspects de l'urbanisation,* thèse de doctorat, Université de Paris 1, 1977, 491 p.

—, *Atlas historique de Montréal,* Montréal, Art global/Libre Expression, 1994, 167 p.

RUMILLY, Robert, *Histoire de Montréal,* Montréal, Fides, 1970-1974, 5 vol.

Quelques ouvrages spécialisés

BRADBURY, Bettina, *Familles ouvrières à Montréal. Âge, genre et survie quotidienne pendant la phase d'industrialisation,* Montréal, Boréal, 1995, 368 p.

DAGENAIS, Michèle, *Des pouvoirs et des hommes. L'administration municipale de Montréal, 1900-1950,* Montréal, McGill-Queen's University Press, 2000, 204 p.

DESLANDRES, Dominique, John A. Dickinson et Ollivier Hubert

(dir.), *Les Sulpiciens de Montréal. Une histoire de pouvoir et de discrétion, 1657-2007,* Montréal, Fides, 2007, 670 p.

DROUILLY, Pierre, *L'Espace social de Montréal, 1951-1991,* Sillery, Septentrion, 1996, 349 p.

DROUIN, Martin, *Le Combat du patrimoine à Montréal (1973-2003),* Québec, PUQ, 2005, 386 p.

FAHRNI, Magda, *Household Politics : Montreal Families and Postwar Reconstruction,* Toronto, University of Toronto Press, 2005, 279 p.

FOUGÈRES, Dany, *L'Approvisionnement en eau à Montréal. Du privé au public, 1796-1865,* Québec, Septentrion, 2004, 472 p.

GOURNAY, Isabelle et France Vanlaethem (dir.), *Montréal métropole, 1880-1930,* Montréal, CCA/Boréal, 1998, 223 p.

LAMBERT, Phyllis et Alan Stewart (dir.), *Montréal, ville fortifiée au XVIIIe siècle,* Montréal, CCA, 1992, 93 p.

LAUZON, Gilles et Madeleine Forget (dir.), *L'Histoire du Vieux-Montréal à travers son patrimoine,* Québec, Publications du Québec, 2004, 292 p.

LEVINE, Marc V., *La Reconquête de Montréal,* Montréal, VLB, 1997, 404 p.

LEWIS, Robert, *Manufacturing Montreal : The Making of an Industrial Landscape, 1850 to 1930,* Baltimore, Johns Hopkins University Press, 2000, 336 p.

LORTIE, André (dir.), *Les Années 60. Montréal voit grand,* Montréal, CCA, 2004, 205 p.

McNICOLL, Claire, *Montréal. Une société multiculturelle,* Paris, Belin, 1993, 317 p.

PENDERGAST, James F. et Bruce G. Trigger (dir.), *Cartier's Hochelaga and the Dawson Site,* Montréal, McGill-Queen's University Press, 1972, 388 p.

POITRAS, Claire, *La Cité au bout du fil. Le téléphone à Montréal de 1879 à 1930,* Montréal, Presses de l'Université de Montréal, 2000, 323 p.

SANCTON, Andrew, *Governing the Island of Montreal : Language Differences and Metropolitan Politics,* Berkeley, University of California Press, 1985, 213 p.

TRUDEL, Marcel, *Montréal : la formation d'une société, 1642-1663,* Montréal, Fides, 1976, 328 p.

TULCHINSKY, Gerald, *The River Barons. Montreal Businessmen and the Growth of Industry and Transportation, 1837-1853,* Toronto, University of Toronto Press, 1977, 310 p.

Liste des illustrations

Montréal en 1685 45

Montréal vers 1760-1762 57

Montréal en 1861 81

Montréal en 1919 97

La région métropolitaine de Montréal en 1981 160

Table des matières

Introduction 7

chapitre 1 • Hochelaga 9

chapitre 2 • Ville-Marie 1642-1665 19

chapitre 3 • Au cœur d'un empire 31

chapitre 4 • Une petite ville française 1665-1760 41

chapitre 5 • Une ville conquise 1760-1800 51

chapitre 6 • Le relais commercial britannique 1800-1850 61

chapitre 7 • La ville industrielle 1850-1896 75

chapitre 8 • La métropole du Canada 1896-1914 89

chapitre 9 • La grande ville nord-américaine 1914-1929 105

chapitre 10 • Crise et guerre 1930-1945 117

chapitre 11 • L'émergence de la ville moderne 1945-1960 129

chapitre 12 • Feux d'artifice 1960-1976 143

chapitre 13 • Un climat de morosité 1976-1994 155

chapitre 14 • La relance de Montréal 1994- 169

Conclusion 179

Suggestions de lectures 183

Liste des illustrations 187

Imprimé sur du papier 100 % postconsommation,
traité sans chlore, certifié Éco-Logo
et fabriqué dans une usine fonctionnant au biogaz.

MISE EN PAGES ET TYPOGRAPHIE :
LES ÉDITIONS DU BORÉAL

ACHEVÉ D'IMPRIMER EN AOÛT 2007
SUR LES PRESSES DE MARQUIS IMPRIMEUR
À CAP-SAINT-IGNACE (QUÉBEC).